le français et la vie

2

Gaston MAUGER
Directeur honoraire
de l'École Internationale
de langue et de civilisation
françaises

Maurice BRUÉZIÈRE
Directeur
de l'École Internationale
de langue et de civilisation
françaises

avec la collaboration de

René GEFFROY
Conseiller pédagogique
auprès des Services culturels
de l'Ambassade de France à Rome

HACHETTE
79, boulevard St-Germain, Paris-VIe

Couverture :
Dessin de David Pascal,
La rue de la Huchette, à Paris.

Illustrations de M. Grimaud.

I.S.B.N. 2.01.007943.4

Avertissement

Avec le présent volume, nos lecteurs aborderont le 2ᵉ degré de la méthode *Le Français et la Vie*. Ce degré comporte vingt-six leçons, ayant la forme de *dialogues* ou de *récits,* d'une construction moins systématique que dans le livre I, mais eux aussi *illustrés* avec beaucoup de soin. La disposition typographique permet de voir tout de suite à quelle partie du texte se rapporte l'image correspondante.

Les *thèmes* traités s'inspirent de la vie quotidienne et, tout en faisant sa part à la réalité française, placent le lecteur en présence de notions et de problèmes qui lui sont familiers : l'auto et ses servitudes (code de la route, stationnement, accidents), la musique pop, les explorations spatiales, le tiers monde, les grèves, les sondages d'opinion, la vie spirituelle dans le monde d'aujourd'hui, etc.

La *progression grammaticale* introduit successivement le subjonctif présent, les verbes en *-eler, -eter, -yer,* le conditionnel présent et passé, le passif, le plus-que-parfait de l'indicatif, le passé simple, le futur antérieur, parallèlement avec des vues précises sur l'expression du but, de la cause, de l'opposition, du temps, la place des pronoms personnels, la syntaxe des relatifs, des indéfinis, des interrogatifs, etc.

Des *tableaux de grammaire* mettent en schémas concrets les notions grammaticales. A la différence du premier volume, nous avons commencé dans celui-ci à présenter au lecteur les nomenclatures indispensables.

Les *exercices structuraux,* complétés par des *exercices oraux ou écrits,* faciliteront l'application pratique des tours et des formes introduits dans les dialogues et récits.

Nous avons multiplié dans ce volume les *photographies,* que nous avons accompagnées de *légendes* succinctes et qui pourront donner matière à des exercices de conversation.

Les *variétés,* illustrées, ouvriront d'utiles extensions sur les leçons de base et de nouvelles perspectives sur la vie en France.

Enfin, nous avons placé dans les dernières pages du livre une série de *textes littéraires contemporains,* pour servir à la lecture commentée. Ils comportent des notes explicatives sur les termes les plus difficiles et des références aux tableaux de grammaire.

Ce 2ᵉ degré, on le voit, reprend quelques-unes des modalités du 1ᵉʳ degré, mais avec les nouveautés que requiert la progression de l'ouvrage.

Nous espérons que les professeurs et les étudiants y trouveront, dans un cadre déjà familier, de quoi nourrir un enseignement vivant et fécond.

G. MAUGER   M. BRUÉZIÈRE

Achat d'une auto

1 Marco — Ce matin, j'ai encore eu une panne de voiture. Le moteur ne voulait pas partir. Et il fallait que je sois à huit heures à l'usine!

2 Sophie — Tu sais, ta voiture est déjà vieille.

3 Marco — Et puis les freins répondent mal. C'est dangereux.

Mais je ne peux pas visiter nos clients à pied ou à bicyclette!
Il faut donc que j'aie une autre voiture.

4 Sophie — Bien sûr. Qui est-ce qui n'a pas d'auto aujourd'hui?

5 Marco — Oh! Sophie, il y a encore bien des gens qui s'en passent. Et nous, nous ne sommes pas très riches : où prendrons-nous l'argent?

6 Sophie — Papa peut nous en prêter...

7 Marco — Il nous en a déjà prêté beaucoup.

8 *Sophie*   Eh bien, achetons la voiture à crédit. Michel et Patrice ont acheté comme ça leur petite auto.

Qu'est-ce que tu prendras, une voiture neuve ou d'occasion?

9 *Marco*   Plutôt une neuve, c'est plus sûr.

10 *Sophie*   Que choisiras-tu, une Citroën, une Renault, une Simca...?

11 *Marco*   Je ne sais pas : une Peugeot peut-être.

Je voudrais bien que tu aies ton permis de conduire, toi aussi.

12 *Sophie*   Oui. Je vais m'inscrire à une auto-école.

Tableaux structuraux

1

Il fallait	que	je sois		à l'	usine
			à 8 heures		auto-école
				au	cinéma
					bureau
		nous soyons		à la	maison
					poste

Tu		es arrivé		
	n' y		qu'	à 10 heures
Vous		êtes arrivés		

2

Je voudrais bien	être	là invité arrivé libre en vacances
Nous sommes contents d'		là invités arrivés libres en vacances

Moi	aussi,	je voudrais bien	que	tu sois	là invité arrivé libre en vacances
Nous		nous sommes contents		vous soyez	là invités arrivés libres en vacances

3

Est-ce	vrai difficile possible cher dangereux loin	?

Non, je ne pense pas	que ce soit	vrai difficile possible cher dangereux loin

4

Y a-t-il	beaucoup de	monde circulation place	?
	trop de	clients voitures gens	

Je ne crois pas	qu'	il y ait	beaucoup de	monde circulation place
			trop de	clients voitures gens

4

5

Il	te / nous / leur	faut	ton / notre / leur	permis de conduire / argent / passeport

Il faut	que tu aies / que nous l' ayons / qu' ils aient	dans 8 jours

6

Achetons	la voiture / la télévision / la machine à laver / la machine à écrire / la moto / le réfrigérateur	à crédit / d'occasion

Michel et Patrice	ont acheté	comme ça	leur	voiture / télévision / machine à laver / machine à écrire / moto / réfrigérateur

7

Papa peut	nous	prêter / donner / avancer / envoyer / trouver	de l'argent

Il	nous	en	a	déjà	prêté / donné / avancé / envoyé / trouvé	beaucoup

8

Que	prendrons / choisirons	-, nous	?
Qu'	achèterons		

Plutôt	une	sportive / neuve / grosse / 2 CV	,	c'est	plus	rapide / sûr / confortable / utile
Non, plutôt		vieille / petite			moins	cher / dangereux

Grammaire

LE SUBJONCTIF

Est-ce que je serai à l'usine à 8 heures?
Il *faut* que je **sois** à l'usine à 8 heures.

que je **sois**	que nous **soyons**
que tu **sois**	que vous **soyez**
qu'il **soit**	qu'ils **soient**

Demain, j'aurai une nouvelle voiture.
Il *faut* que **j'aie** demain une nouvelle voiture.

que **j'aie**	que nous **ayons**
que tu **aies**	que vous **ayez**
qu'il **ait**	qu'ils **aient**

Je veux que tu **sois** à l'usine à 8 heures.
Je voudrais que tu **sois**....
Je suis content que tu **sois**...
J'ai peur que tu (ne) **sois** en retard.
J'attends que tu **aies** une voiture.
Je *ne* crois *pas* que tu **aies**...

Le subjonctif exprime la nécessité (après *il faut*) ou la volonté (je *veux*) ou un sentiment (je suis *content*) ou la crainte (j'ai *peur*). En outre, on l'emploie souvent après un verbe principal négatif.

N. B. Il faut : il a fallu, il fallait, il faudra.

LES PRONOMS INTERROGATIFS

Qui est-ce **qui** vient?	— Henri.
Qui vient?	— Henri.
Qui est-ce **que** tu inviteras?	— J'inviterai Pierre.
Qui inviteras-tu?	— Pierre.

Ces pronoms interrogatifs représentent des personnes.

Qu'est-ce qui te plaît le mieux?	— Une Renault.
Qu'est-ce que tu choisiras?	— Je choisirai une Peugeot.
Que choisiras-tu?	— Une Peugeot.

Ces pronoms interrogatifs représentent des choses.

		Exemples
1	**A partir de l'exemple, construisez des phrases semblables avec les éléments donnés :**	
a	Nous n'arriverons pas à Chartres à 10 heures. Je ne suis pas arrivé à l'usine à 8 heures. Il n'est pas arrivé à la maison à 9 heures.	*Il fallait que nous soyons à Chartres à 10 heures et nous n'y arriverons qu'à midi.*
b	Vieille, froide, chaude, plein, sales, chères.	*Il ne faut pas que la voiture soit trop vieille.*
c	Je voudrais être en vacances. Nous sommes contents d'être inscrits. J'attends d'être riche pour t'épouser.	*Moi aussi, je voudrais bien que tu sois en vacances.*
d	André sera absent? (oui) Marco sera en avance? (non) Les étudiants seront en retard? (oui) Le train sera à l'heure? (non)	*Oui, j'ai peur qu'il (ne) soit absent.*
e	Il nous faut nos skis demain. Il vous faut vos billets ce soir. Il te faut ton permis dans un mois. Il leur faut leurs valises tout de suite.	*Il faut que nous les ayons demain.*
f	Tu auras bientôt une nouvelle voiture. Nous avons de nombreux amis. Ils ont beaucoup d'argent.	*Je ne crois pas que tu aies bientôt une nouvelle voiture.*
g	Ils ont froid. Nous avons faim. Elle a soif. Vous avez chaud.	*J'ai peur qu'ils (n') aient froid.*
h	Arriver/partir, se lever/s'asseoir, jouer/regarder, gagner/perdre.	*Il y avait des gens qui arrivaient et d'autres qui partaient.*
i	Il inscrira Sophie. On changera le moteur.	*Qui est-ce qu'il inscrira?* *Qui inscrira-t-il?*
2	**Placez chacune de ces expressions dans une situation que vous imaginez :** Je ne peux pas m'en passer. Je m'en passe très bien. Plutôt une petite, c'est moins cher.	*Où vas-tu?* *Je vais chercher des cigarettes.* *Tu fumes trop, c'est mauvais pour la santé.* *Je sais, mais je ne peux pas m'en passer.*

La vie en images

un colis

1

2

1 Au salon de l'automobile.

Quelles sont les différentes marques représentées ici?

Quelle est la voiture qui est regardée avec le plus d'attention? Reconnaissez-vous sa marque?

2 Camion.

Que fait le personnage à genoux, au premier plan? Comment est-il habillé?

De quoi s'est-il servi pour soulever l'avant du camion?

3 Station-service.

Que peuvent se dire les deux personnages debout, près de la pompe? Que fait celui qui est accroupi, au premier plan?

Que voit-on sur le toit de la voiture? Où vont les voyageurs de cette auto?

3

immatriculation
un pare-chocs

4

il est accroupi, assis sur les talons.
Les bagages sont sur le toit porte-bagages.
coffre - de la voiture. on met essence dans le réservoir. Tuyau

5

6

4 Lavage.
Où se trouve placée la voiture? Qu'est-ce qui la nettoie?
Pourquoi voit-on mal le pare-brise?
Montrez le rétroviseur, les essuie-glaces, les phares.

5 Autobus.
Quelle est la hauteur de l'autobus? Combien de personnes peut-il contenir? Quel est son numéro?
Aimeriez-vous voyager dans un autobus comme celui-ci? Pourquoi?
Qu'est-ce qui va le plus vite : l'autobus ou le métro? Qu'est-ce qui est le plus agréable?

6 Changement de roue.
Quand change-t-on de roue? Où est placée la roue de secours?
Que fait le personnage auprès de l'auto? Comparez-le avec celui de la figure 2.
Il a peut-être des difficultés : faites-le monologuer.

7 Voitures d'occasion.
Reconnaissez-vous la marque de chacune de ces autos?
A quel prix est vendue la voiture de gauche? Est-ce cher?
Qu'est-ce qu'un « échange », une « reprise »?

8 De la petite voiture au break.
Montrez une 2 CV, une voiture sport, un break.
Quels sont les avantages de ce dernier modèle?

7

8

La plaques le numéro de la voiture
la plaque d'immatriculation
La bombe à essence et le tuyau.

9

Sophie prend des leçons de conduite

1 *Le moniteur d'auto-école* Madame, prenez cette avenue à gauche, s'il vous plaît... *à gauche et à droite* ... et mettez votre clignotant... pour montrer aux autres voitures que vous allez tourner.
Maintenant, tournez à gauche et arrêtez-vous... Voilà!

2 *Le moniteur* Il faut que vous placiez vos roues plus près du trottoir, pour que votre voiture ne gêne pas la circulation.

Subj.

3 *Sophie* Est-ce que je l'aurai, mon permis?

4 *Le moniteur* Peut-être. L'inspecteur vous posera aussi quelques questions.
5 *Sophie* Sur le code de la route?

6 *Le moniteur* Bien sûr. Ce ne sera pas difficile...
... Par exemple : Quand devez-vous rouler plus lentement?

7 *Sophie* Quand je traverse un village.

8 *Le moniteur* Et encore?

9 *Sophie* Quand il pleut ou qu'il neige.

10 *Le moniteur* Que faites-vous quand il y a du brouillard?

11 *Sophie* Oh! alors, là, je m'arrête... et j'attends que le temps soit clair.

12 *Le moniteur* Bon. Je crois que vous l'aurez, votre permis ... Mais attention : pendant un an, il ne faudra pas que vous rouliez à plus de 90 kilomètres à l'heure!

Tableaux structuraux

1

Il faut	étudier votre code	pour		passer votre permis
	travailler	pour		gagner votre vie
	rouler vite	pour		arriver à l'heure
	étudier votre code	pour que	vous	passiez votre permis
	travailler	pour que	vous	gagniez votre vie
	rouler vite	pour que	vous	arriviez à l'heure

2

Il faut que	nous	téléphonions au théâtre	pour		avoir des places
		fermions la porte	pour		être tranquilles
		jouions bien	pour		gagner la partie
		téléphonions au théâtre	pour que	nous	ayons des places
		fermions la porte	pour que	nous	soyons tranquilles
		jouions bien	pour que	nous	gagnions la partie

3

On	devait / doit / devra			avancer encore / reculer un peu / passer au feu vert
Ils	devaient / doivent / devront			rouler lentement / tourner à gauche / stationner plus loin
Nous	devions / devons / devrons	nous		placer là / ranger à droite / arrêter au feu rouge

Il	fallait	qu'	on	avance encore / recule un peu / passe au feu vert
	faut	qu'	ils	roulent lentement / tournent à gauche / stationnent plus loin
	faudra	que	nous	nous	placions là / rangions à droite / arrêtions au feu

4

Quand	devez-vous	rouler plus lentement	?
	doit-on	mettre son clignotant	?

Quand	je traverse un village / je passe près d'une école / il pleut ou qu'il neige / il y a du brouillard / le temps n'est pas clair	
		on doit	stationner / s'arrêter / partir / tourner

5

Qu'attend-on pour	décoller partir traverser s'en aller entrer sortir	?

On attend que	le temps la voiture la route le réservoir le magasin Sophie	soit	clair réparée libre plein ouvert prête

6

Croyez-vous que j'aurai	mon	permis diplôme billet place	?
	ma	voiture bicyclette	

Oui, je crois que	l'aurez	vous	, votre	permis diplôme billet place
Non, je ne crois pas que	l'ayez			voiture bicyclette

7

Pendant	un an un mois une semaine	, il ne faudra pas que vous	rouliez à fumiez buviez marchiez travailliez sortiez	plus de	90 km 3 cigarettes 2 cafés 20 minutes 3 heures 10 minutes	à l'heure par jour

8

Je Tu Il On Ils	roul travers recul tourn arriv	Présent	Imparfait	Subjonctif
			ϵ	
		õ	jõ	jõ
Nous Vous		e	je	je

Grammaire

$\boxed{\text{SUBJONCTIF}}$ – VERBES EN -ER (rouler) *Formation générale*

Indicatif présent	**Subjonctif présent**	Indicatif imparfait

*Je roul*e ————————→ Il faut que je roule
*Tu roul*es ————————→   que tu roules
*Il roul*e ————————→   qu'il roule
                      que nous roulions ——→ *Nous roul*ions
                      que vous rouliez ————→ *Vous roul*iez
*Ils roul*ent ————————→   qu'ils roulent

Remarque : Il s'agit, ci-dessus, d'une méthode de formation *pratique* pour les verbes en **er** dits du premier groupe[1].

$\boxed{\text{LE VERBE « DEVOIR »}}$

      Je *dois* rouler lentement = **Il faut que** je roule lentement.
mais Il *doit* être 8 heures   = Il est **probablement** 8 heures.

Le verbe *devoir* exprime soit la nécessité, soit la probabilité.

$\boxed{\text{LE BUT, L'INTENTION}}$

   Je prends mon manteau : comme ça j'aurai chaud.
= Je prends mon manteau **pour avoir** chaud.

Je lui donne un manteau **pour qu'il ait** chaud.
Je leur donne des manteaux **pour qu'ils aient** chaud.

———————

1. Il y a trois groupes de verbes : — le premier comprend les verbes en **er** (sauf *aller*) : rouler;

                  — le deuxième comprend les verbes en **ir** du type fin**ir** (*nous finissons*);

                  — le troisième comprend tous les autres verbes : *venir (nous venons), attendre, voir,* etc.

a d e g

3 **A partir de l'exemple, construisez des phrases semblables avec les éléments donnés :**	**Exemples**
a Étudiez votre code pour passer votre permis. Stationnez près du trottoir pour ne pas gêner la circulation. Arrive tôt pour être bien placé. Téléphonons pour avoir une réponse tout de suite.	*Il faut étudier votre code pour passer votre permis.* *Il faut que vous étudiiez votre code pour passer votre permis.*
b Il reste sans doute 200 kilomètres à faire, il faut que vous rouliez vite. Il pleut sans doute là-bas, il faut que vous emportiez votre parapluie. Il fait sans doute froid, il faut que nous emportions nos manteaux.	*Il doit rester 200 kilomètres à faire, vous devez rouler vite.*
c Il fallait qu'on avance un peu. Il faudra que nous traversions la place. Il faut que vous tourniez à gauche. Il faudra qu'elle s'arrête en face.	*On devait avancer un peu.*
d Je lui donne mon manteau, comme ça elle aura chaud et elle sera contente. Je vous prête ma voiture, comme ça vous emmènerez Sophie et vous arriverez à l'heure. Je t'emmène avec moi, comme ça tu te promèneras et tu visiteras le Louvre.	*Je lui donne mon manteau pour qu'elle ait chaud et qu'elle soit contente.*
e Leur voiture n'est pas encore réparée. Votre réservoir n'est pas encore plein. Tes filles ne sont pas encore prêtes. Vos places ne sont pas encore libres.	*Ils attendent que leur voiture soit réparée.*
f Nous emmènerons nos amis. Il aura son diplôme. Tu auras ton passeport. Vous prêterez votre voiture.	*Je crois que nous les emmènerons.* *Je ne crois pas que nous les emmenions.*
4 **Mettez aux deux premières personnes du pluriel du présent, de l'imparfait et du futur :** Je place mes roues près du trottoir, je ne gêne pas la circulation.	

La vie en images

1 **Une leçon de conduite.**
   Qu'est-ce que fait le moniteur?
   Pourquoi la dame s'assoit-elle à gauche?

2 **A l'entrée de l'autoroute : le péage.**
   Combien faut-il payer pour une voiture?
   Combien pour un camion?

3 **La cathédrale de Chartres.**
   Que voit-on au 1er plan?
   En quelle saison est-on? (On dit : *en* été, *en* automne, *en* hiver, mais *au* printemps).

4 **Le pèlerinage de Chartres.**
   Qu'aperçoit-on au loin?
   Qu'est-ce que les étudiants ont dans leur sac?

Variétés

De Paris à Chartres

Jacqueline	Comme tu arrives tard, Pierre!
Pierre	Aujourd'hui, les trains sont en grève. Tous les gens ont pris leur voiture. Il y avait des embouteillages partout. Alors, j'ai voulu aller à Paris à pied.
Jacqueline	De Saint-Cloud? Mais c'est très loin!
Pierre	Autrefois, les gens étaient capables de marcher pendant trente ou quarante kilomètres presque sans s'arrêter.
Jacqueline	Il fallait bien qu'ils s'arrêtent quelquefois pour manger et pour boire?
Pierre	Bien sûr. Mais tu sais que, tous les ans, les étudiants catholiques font un pèlerinage de Paris à Chartres. Ils doivent marcher pendant deux jours.
Jacqueline	Et s'il pleut?
Pierre	Ils mettent des imperméables.
Jacqueline	Et s'il neige?
Pierre	Le pèlerinage a lieu au mois de juin.

Jacqueline	Tiens, tu me donnes une idée. Je viens de lire un beau livre sur la cathédrale de Chartres. Il faudra qu'un dimanche nous la visitions.
Pierre	Est-ce que nous irons à pied?
Jacqueline	Oh! non, en voiture. Le lundi, je joue au tennis et il ne faut pas que je sois trop fatiguée.
Pierre	Et moi, le lundi, je travaille; je dois être en forme pour recevoir les clients.

Un accident — Sophie en faute

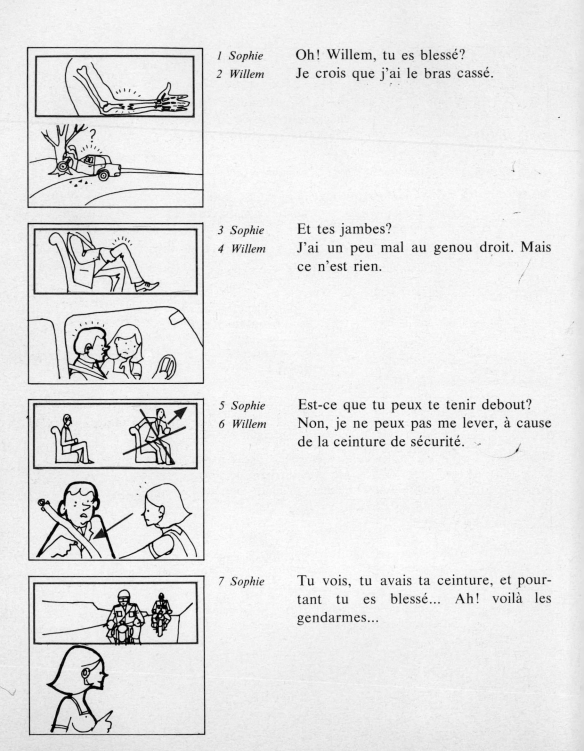

1 *Sophie* Oh! Willem, tu es blessé?
2 *Willem* Je crois que j'ai le bras cassé.

3 *Sophie* Et tes jambes?
4 *Willem* J'ai un peu mal au genou droit. Mais ce n'est rien.

5 *Sophie* Est-ce que tu peux te tenir debout?
6 *Willem* Non, je ne peux pas me lever, à cause de la ceinture de sécurité.

7 *Sophie* Tu vois, tu avais ta ceinture, et pourtant tu es blessé... Ah! voilà les gendarmes...

8 *Premier gendarme*	Vous êtes blessés?
9 *Sophie*	Mon ami, oui. Il faut que je le conduise chez le médecin.
10 *Deuxième gendarme*	Non : qu'il attende l'ambulance, elle va le conduire à l'hôpital.

11 *Premier gendarme*	Vous, Madame, vous devez rester avec nous; montrez-nous vos papiers, s'il vous plaît.
12 *Sophie*	Voilà ma carte grise, mon permis de conduire et ma police d'assurance.

*nouvelle voiture ! marque forces,
propriétaire,
sur le vôtre avant — tax pour l'gouvernment
le vignet.*

13 *Premier gendarme*	Alors, vous avez votre permis depuis deux mois seulement et malgré ça vous roulez à toute vitesse?
14 *Sophie*	Oh! je ne roulais pas tellement vite.
15 *Deuxième gendarme*	Vraiment? A 120! Vous vous expliquerez devant le Tribunal.

Tableaux structuraux

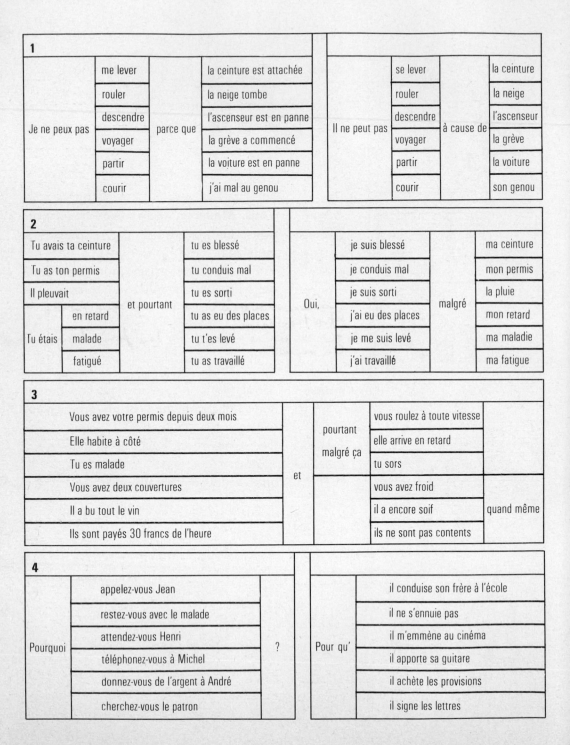

1

Je ne peux pas	me lever	parce que	la ceinture est attachée
	rouler		la neige tombe
	descendre		l'ascenseur est en panne
	voyager		la grève a commencé
	partir		la voiture est en panne
	courir		j'ai mal au genou

Il ne peut pas	se lever	à cause de	la ceinture
	rouler		la neige
	descendre		l'ascenseur
	voyager		la grève
	partir		la voiture
	courir		son genou

2

Tu avais ta ceinture		et pourtant	tu es blessé
Tu as ton permis			tu conduis mal
Il pleuvait			tu es sorti
Tu étais	en retard		tu as eu des places
	malade		tu t'es levé
	fatigué		tu as travaillé

Oui,	je suis blessé	malgré	ma ceinture
	je conduis mal		mon permis
	je suis sorti		la pluie
	j'ai eu des places		mon retard
	je me suis levé		ma maladie
	j'ai travaillé		ma fatigue

3

Vous avez votre permis depuis deux mois	et	pourtant / malgré ça	vous roulez à toute vitesse	
Elle habite à côté			elle arrive en retard	
Tu es malade			tu sors	
Vous avez deux couvertures			vous avez froid	
Il a bu tout le vin			il a encore soif	quand même
Ils sont payés 30 francs de l'heure			ils ne sont pas contents	

4

Pourquoi	appelez-vous Jean	?
	restez-vous avec le malade	
	attendez-vous Henri	
	téléphonez-vous à Michel	
	donnez-vous de l'argent à André	
	cherchez-vous le patron	

Pour qu'	il conduise son frère à l'école
	il ne s'ennuie pas
	il m'emmène au cinéma
	il apporte sa guitare
	il achète les provisions
	il signe les lettres

5

Pourquoi	roules-tu si vite	?	Parce que	nous sommes en retard
			Pour que	nous ne soyons pas en retard
	court-il si vite		Parce que	nous l'attendons
			Pour que	nous ne l'attendions pas
	roule-t-il si doucement		Parce que	sa femme a peur
			Pour que	sa femme n'ait pas peur

6

Il doit	attendre l'ambulance			l'attende	
	finir son travail			le finisse	
	conduire sa voiture		qu'il	la conduise	
	se coucher			se couche	
	se lever	Eh bien,		se lève	!
Ils doivent	attendre l'ambulance			l'attendent	
	finir leur travail			le finissent	
	conduire leur voiture		qu'ils	la conduisent	
	se coucher			se couchent	
	se lever			se lèvent	

7

Tu roulais		vite	!	Oh !	je ne roulais pas		vite
Ça coûtera		cher			ça ne coûtera pas		cher
C'est	trop	loin			ce n'est pas	tellement	loin
C'était		grave			ce n'était pas		grave
Tu étais		pressé			je n'étais pas		pressé
Tu en avais		besoin			je n'en avais pas		besoin

8

Est-il blessé	à la tête		à la poitrine	?	Rien	à la tête		à la poitrine
	à l'œil gauche		à l'œil droit			à l'œil gauche		à l'œil droit
	à l'oreille gauche	ou	à l'oreille droite			à l'oreille gauche	ni	à l'oreille droite
	au poumon gauche		au poumon droit			au poumon gauche		au poumon droit
	au côté gauche		au côté droit			au côté gauche		au côté droit
	au cœur		aux poumons			au cœur		aux poumons

Grammaire

SUBJONCTIF

finir (2ᵉ groupe)

> que je finisse
> que tu finisses
> qu'il finisse
> que nous finis**sions**
> que vous finis**siez**
> qu'ils finissent

attendre (3ᵉ groupe)

> que j'attende
> que tu attendes
> qu'il attende
> que nous atten**dions**
> que vous atten**diez**
> qu'ils attendent

conduire (3ᵉ groupe)

> que je conduise
> que tu conduises
> qu'il conduise
> que nous conduisions
> que vous conduisiez
> qu'ils conduisent

L'ORDRE, LA DÉFENSE

Qu'il attende! = Je *veux* qu'il attende.
Qu'il n'attende pas = Je *ne veux pas* qu'il attende.

LA CAUSE

Pourquoi écrivez-vous à Jean?　　　— *Pour l'inviter* à dîner.
Pourquoi part-elle pour la montagne? — *Parce qu'*elle est malade.
　　　　　　　　　　　　　　　　　(*à cause de* sa maladie).

Pour exprime le but; *parce que* exprime la cause.

L'OPPOSITION

Henri est malade : il ne viendra donc pas.
Henri ne viendra pas **parce qu'**il est malade (**à cause de** sa maladie).
mais
André est malade; **pourtant** il **viendra** (ou : il viendra **quand même**).
André viendra **malgré** sa maladie.

Exercices oraux ou écrits

		Exemples
5	**A partir de l'exemple, construisez des phrases semblables avec les éléments donnés :**	
a	Il ne trouvait pas de travail parce qu'il y avait du chômage. Il n'est pas parti parce qu'il y avait du mauvais temps. Il a dû s'arrêter parce qu'il y avait une manifestation. La circulation est arrêtée parce qu'il y a un accident.	*Il ne trouvait pas de travail à cause du chômage*
b	Tu avais une ceinture et tu es blessé. Elle a son permis et elle conduit mal. Le feu est rouge et elle traverse. Il y a une grève et tu travailles.	*Tu avais ta ceinture et pourtant tu es blessé.* *Tu avais ta ceinture et malgré ça tu es blessé.* *Tu es blessé malgré ta ceinture.*
c	Conduire la voiture. Finir son travail. Attendre l'autobus.	*Ils veulent conduire la voiture. Qu'ils la conduisent!* *Il veut conduire la voiture. Qu'il la conduise!*
d	Pour l'inviter à dîner (écrire) Pour lui expliquer l'exercice (parler) Pour lui demander de sortir ce soir (téléphoner)	*Pourquoi écrivez-vous à Jean?* *Pour l'inviter à dîner.*
e	Pourquoi part-elle pour la montagne? Pourquoi sortez-vous avec Marie? Pourquoi roulez-vous si vite? Pourquoi ne fait-il plus de sport?	*Parce qu'elle est malade.*
f	Se coucher tôt/être fatigué. S'arrêter souvent/le moteur chauffe. Marcher vite/être en retard.	*Pourquoi vous couchez-vous si tôt?* *Parce que je suis fatigué.* *Pour que je ne sois pas fatigué..*
6	**Mettez à toutes les personnes :** Il faut qu'elle attende que je finisse mon travail pour que je la conduise au magasin.	*Il faut qu'elle attende que tu... pour que tu...*
7	**Imaginez une situation dans laquelle un des personnages dira :** Et pourtant tu conduis mal. Et pourtant tu t'es levé tôt.	

La vie en images

1

4

2

3

1 Motards au sommet d'une côte.
Pourquoi les motards se sont-ils placés à cet endroit?
Comment sont-ils habillés?

2 Sur l'autoroute A 1.
Quel côté de la route faut-il prendre pour aller à Lille? Pour aller à Saint-Denis?
Que veut dire le « 60 » inscrit derrière le camion?

3 Panneaux de signalisation.
A quel endroit de la route sont placés les panneaux?
Que signale chacun d'eux?

4 Hélicoptère de la gendarmerie.
A quoi servent les hélicoptères de la gendarmerie?
Reconnaissez-vous certaines marques de voitures?

5

6

7

8

5 Ceinture de sécurité.

Comment est-elle placée sur cette photo?

Comment sont placées les ceintures de sécurité dans un avion?

6 Police de la route.

Pourquoi les motards roulent-ils toujours deux par deux?

Dans certains pays (U. S. A., Canada) les policiers sont en auto. Avantages et inconvénients de la moto, de l'auto pour le contrôle de la circulation?

7 Un accident.

Les voitures accidentées allaient-elles dans le même sens ou en sens contraire? S'agit-il d'un grave accident?

Dans quel département (75) sont-elles immatriculées?

8 P. C. (Poste de Commandement) de gendarmerie.

Que voit-on sur le mur?

Que fait le personnage situé le plus à gauche?

Que portent certains gendarmes sur la manche de leur uniforme?

Au tribunal

La blessure de Willem n'était pas très grave, heureusement. Après dix jours d'hôpital, il a pu reprendre son travail.

Mais Sophie est responsable de l'accident, à cause de son imprudence. Elle doit donc comparaître devant le tribunal et répondre aux questions du juge.

1	Le juge	Madame, vos nom et profession, s'il vous plaît.
2	Sophie	Sophie Boni, journaliste.
3	Le juge	Vous êtes Française?
4	Sophie	Oui, mais mon mari est Italien.
5	Le juge	Monsieur Willem Van Loo est-il Français?
6	Sophie	Non, étranger : il est de nationalité hollandaise.

7	Le juge	Vous étiez au volant, disent les gendarmes. Eh bien, puisque vous conduisiez, racontez-nous votre accident. Et n'oubliez pas : il faut que vous disiez la vérité.

Président du Tribunal.
"Monsieur la Cour."
  accusé est dans le box. Avocat defend l'accusé,
Procureur de la Republique ≠ Avocat General.
une temoigne
coupable mais avec circonstance attenuante
    On casse le jugement ! La peine de morte

8	Sophie	Voilà, j'allais trop vite quand j'ai pris mon virage.
9	Le juge	A quelle vitesse alliez-vous?
10	Sophie	A 100 à l'heure, je pense.

11 *Le juge*   Les gendarmes ont vu que vous alliez à 120.

Sophie baisse la tête et se tait.

Le juge met ses lunettes et lit la sentence : « Le tribunal condamne Sophie Boni à 200 F d'amende

et au retrait du permis de conduire pendant trois mois. » Allons, la condamnation n'est pas trop sévère...

Tableaux structuraux

1

Michel / Karl	n'	est-	il		Français / Allemand	
Greta / Margareth			elle	pas	Suédoise / Anglaise	?
Les étudiants / Les joueurs	ne	sont-	ils		Hollandais / Argentins	
Les étudiantes / Les joueuses			elles		Brésiliennes / Mexicaines	

Si,	il	est		française / allemande
	elle		de nationalité	suédoise / anglaise
	ils	sont		hollandaise / argentine
	elles			brésilienne / mexicaine

2

Puisque	Sophie est condamnée	elle ne pourra plus conduire
	ce livre est trop cher	je ne pourrai pas l'acheter
	j'ai besoin d'aller à Paris	tu m'emmèneras demain avec toi
	la voiture est en panne	je prendrai l'autobus
	je n'ai pas faim	je n'irai pas au restaurant
	vous n'avez pas compris	je vais expliquer une deuxième fois

3

	Je cours	parce que	je suis en retard
	Nous faisons grève		nous sommes mal payés
	Nous prendrons un taxi		nous avons des bagages
	Je m'en vais		la pièce est ennuyeuse
Puisqu(e)	je suis en retard	,	je vais courir
	ils sont mal payés		les ouvriers feront grève
	nous avons des bagages		nous prendrons un taxi
	la pièce est ennuyeuse		je vais m'en aller

4

Pourquoi	Sophie / Mme Boni	comparaît		elle		le tribunal	
	Jean / ce monsieur		-	il	devant	le Juge	?
	ces personnes / ces femmes	comparaissent		elles		L'Inspecteur	
	ces messieurs / ces hommes		ne	ils	pas	le Directeur	

28

5

Les gendarmes disent que	vous	étiez au volant alliez trop vite rouliez à 120		
	Vous	avez causé l'accident êtes responsable de l'accident êtes imprudente	,	disent les gendarmes

6

Connais-tu Connaissez-vous Connaissent-ils	d'autres	moniteurs journalistes juges routes provinces villes	?	Non, c'est	le seul la seule	que (qu')	je connaisse nous connaissions ils connaissent

7

N'	oublie oublions oubliez	pas	de	dire la vérité te taire lire la sentence dire la vérité nous taire lire la sentence dire la vérité vous taire lire la sentence

N'	oublie oublions oubliez	pas	qu'il faut que	tu nous vous	dises la vérité te taises lises la sentence disions la vérité nous taisions lisions la sentence disiez la vérité vous taisiez lisiez la sentence

8

Liras-tu	ce cette un une	journal livre revue pièce	?

Il faut que	je j'	le la en	lise	un une

Le La En	voilà	.	Lis	-	le la le la

Grammaire

SUBJONCTIF

construire (3ᵉ groupe)

que je construise
que tu construises
qu'il construise
que nous construisions
que vous construisiez
qu'ils construisent

dire (3ᵉ groupe)

que je dise
que tu dises
qu'il dise
que nous disions
que vous disiez
qu'ils disent

lire (3ᵉ groupe)

que je lise
que tu lises
qu'il lise
que nous lisions
que vous lisiez
qu'ils lisent

se taire (3ᵉ groupe)

que je me taise
que tu te taises
qu'il se taise
que nous nous taisions
que vous vous taisiez
qu'ils se taisent

connaître (3ᵉ groupe)

que je connaisse
que tu connaisses
qu'il connaisse
que nous connaissions
que vous connaissiez
qu'ils connaissent

L'INTERROGATION

Est-il Français? = **Est-ce qu'**il est Français?
Est-ce que Michel est Français? = Michel est-**il** Français?
Est-ce que Pierrette aime les confitures? = Pierrette aime-t-**elle** les confitures?

Si le sujet du verbe est un nom, on le place en tête de la phrase et on le reprend par un pronom personnel (**il, elle,** etc.).

« PARCE QUE » ET « PUISQUE »

Pourquoi Sophie comparaît-elle devant le tribunal?
— **Parce qu'**elle a causé un accident.

Sophie **est condamnée** au retrait du permis de conduite.
Puisque Sophie est condamnée, elle ne pourra plus conduire.

La cause déjà évoquée s'exprime par **puisque**.

Exercices oraux ou écrits

8	**A partir de l'exemple, construisez des phrases semblables avec les éléments donnés :**	**Exemples**
a	Hollandais Marocain Chinois Chilien	*Willem n'est-il pas Hollandais?* *Mais si, il est bien de nationalité hollandaise.*
b	Je m'ennuie, je vais me promener. Le film est bon, je vais au cinéma. Marco est prudent, je n'ai pas peur.	*Puisque je m'ennuie, je vais aller me promener.*
c	Racontez-nous la partie la pièce le jugement	*Puisque vous étiez au stade, racontez-nous la partie.*
d	Sophie comparaît devant le tribunal. Sylvie et Éliane ne vont pas au Bois. Mon père ira demain à Lille.	*Pourquoi Sophie comparaît-elle devant le tribunal?* *Parce qu'elle a causé un accident.*
e	Les gendarmes sont partis à pied. La condamnation a été très sévère. La sentence a été très discutée. Les spectateurs se sont bien amusés.	*Pourquoi les gendarmes sont-ils partis à pied?* *Pourquoi les gendarmes ne sont-ils pas partis à pied?*
f	Sophie est condamnée, elle a eu un accident, elle ne pourra plus conduire. Willem est à l'hôpital, il a le bras cassé, il ne pourra pas jouer au tennis demain. Je m'en vais, je n'ai pas le temps, je ne connaîtrai pas la fin de l'histoire. Je ne veux pas t'aider, je n'ai pas le temps, tu devras faire le travail tout seul.	*Sophie est condamnée parce qu'elle a eu un accident.* *Puisqu'elle est condamnée, elle ne pourra plus conduire.*
9	**Mettez à toutes les personnes :** Il faut que je me taise et que je ne dise pas ma pensée. Il faut que je lise tout Camus et que je le connaisse mieux.	
10	**Placez chacune des phrases suivantes dans une situation que vous imaginerez :** Puisque tu vas demain à Paris, tu m'emmèneras avec toi. Puisqu'ils sont mal payés, les ouvriers feront grève.	

La vie en images

1

2

4

3

1 En cour d'assises.
Où sont les juges? L'accusée? Le jury? Les avocats? Le témoin? Les journalistes?
Que font les deux gendarmes de gauche?

2 Le jury.
Que fait le juge qui est debout? Que peut-il dire?
Combien y a-t-il de personnes dans un jury? Comment les appelle-t-on? Comment sont-elles choisies?

3 Le panier à salade.
Qui sont les deux personnages du haut de la photo? Qui sont ceux d'en bas?
Pourquoi appelle-t-on cette voiture un « panier à salade »?

4 Avocat.
Quel vêtement porte l'avocat? A quoi lui servent ses mains? Faites-lui prononcer les dernières phrases de sa plaidoirie.
Avez-vous déjà assisté à un procès? Quelles ont été vos impressions?

En cour d'assises

Hier, je suis allé voir un procès en cour d'assises. On jugeait une femme meurtrière de son mari. De nationalité étrangère, elle parlait mal le français. Son avocat répondait pour elle. Il portait une robe noire avec des manches larges. Il faisait de grands gestes.

Le Président, dans sa robe rouge, avait l'air sévère, mais il faisait seulement son métier. Il a interrogé un témoin :
« Il faut que nous connaissions la vérité. Puisque vous êtes le voisin de ces gens, répondez à ma question : le mari était-il méchant avec sa femme ?
— Oui, monsieur le Président. Il buvait beaucoup et ne lui donnait jamais d'argent. Les voisins disaient : « Un jour, il la tuera ! »
— Pourtant, c'est elle qui l'a tué.
— Ça devait arriver, monsieur le Président. Il la battait, elle a voulu se défendre, c'est tout. »

A la fin de l'après-midi, le jury a rapporté son verdict et la Cour a rendu son arrêt. Elle condamnait la femme à trois ans de prison avec sursis. Dans le public, quelques personnes ont applaudi. Le Président leur a ordonné de rester tranquilles, mais je crois que tout le monde trouvait l'arrêt assez juste, et les journalistes ont couru au téléphone pour annoncer la nouvelle à leurs journaux.

Naissance du petit Marc

1	*Sophie*	Regarde, Marco. Ton fils ressemble à ta mère.
2	*Marco*	Oh! il est blond, et maman est brune.
3	*Sophie*	Oui, mais il a ses yeux, son front, sa bouche.
4	*Mme Roche*	Comme tu as l'air heureuse, Sophie!
5	*M. Roche*	Dame, puisqu'elle est maman!

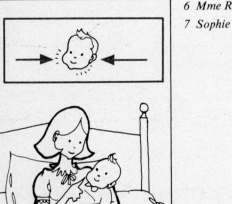

6	*Mme Roche*	Combien le bébé pèse-t-il?
7	*Sophie*	Sept livres : il a déjà de bonnes joues.

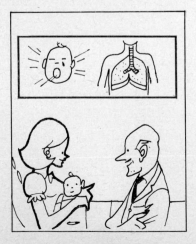

8	*M. Roche*	Il crie beaucoup la nuit?
9	*Sophie*	Oui, quand il a mal au ventre. Mais il faut que les bébés crient : c'est nécessaire à leurs poumons.

10 *Patrice* Est-ce que tu aides ta femme, Marco?

11 *Marco* Oh! tu sais avec mes grosses mains d'homme, je ne suis pas très adroit.

12 *Sophie* Marco est très gentil: c'est lui qui achète tout chez le pharmacien.

13 *M. Roche* Il faudra qu'on vaccine le bébé bientôt.

14 *Sophie* Oui, mais, avant, nous ferons le baptême: Patrice, tu veux bien être son parrain?

15 *Patrice* Avec plaisir, Sophie.
Il s'appellera Marc, je crois?

16 *Sophie* Bien sûr! puisque son papa s'appelle Marco.

Tableaux structuraux

1

Marco			gentil		achète tout chez le pharmacien
Cet acteur			amusant		fait rire tout le monde
Le tribunal	est	très	sévère	C'est lui qui	a condamné Sophie
Le facteur			bavard		parle tout le temps
Pierre			aimable		porte les valises
Cet homme			imprudent		a causé l'accident

2

	Sophie		lève / lave / pèse	le bébé	
Est-ce		qui			?
	Marco		achète le lait / appelle le médecin		

Oui,	c'	est		elle	le	lève / lave / pèse
			qui			
Non,	ce	n'	pas	lui	l'	achète / appelle

3

	crie beaucoup	
	fume beaucoup	
Il	danse très bien	?
	chante très bien	
	roule très vite	
	saute très haut	

	crie le plus
	fume le plus
C'est lui qui	danse le mieux
	chante le mieux
	roule le plus vite
	saute le plus haut

4

	nécessaire	
C'est	grave	
	important	
	dangereux	que ça
Ce n'est pas si	juste	
	vrai	

5

	a l'air	heureux / content / gentil
Elle		sévère
	n'a pas l'air	aimable / intéressant

Oui,	je crois (je suis sûr)		est	heureuse / contente / gentille
		qu'elle		sévère
C'est vrai,	je ne crois pas (je ne suis pas sûr)		soit	aimable / intéressante

6

| Puisque c'est nécessaire | à ses poumons
à sa santé | , | qu'il | crie
saute
joue | ! |
| | | | qu'on | appelle le médecin
attende les gendarmes
téléphone à la police | |

7

| Nous achèterons les médicaments
Vous vaccinerez le bébé
Vous répondrez au juge
Nous dirons la vérité
Vous appellerez la police
Tu montreras tes papiers | : | c'est nécessaire | Il est nécessaire que | nous achetions les médicaments
vous vacciniez le bébé
vous répondiez au juge
nous disions la vérité
vous appeliez la police
tu montres tes papiers |

8

| Il a déjà | de | bonnes
grosses
belles
jolies | joues | |
| | des | | | rondes
rouges
pleines |

9

| Nous avons | de | petits
bons
gros
vieux
mauvais | livres | |
| | des | | | nouveaux
intéressants
agréables
amusants
ennuyeux |

Grammaire

LES PRÉSENTATIFS

C'est du lait **que** je veux.
C'est Marco **qui** a fait ça.
Est-ce Marco **qui** a fait ça?
Non, **ce n'est** pas Marco **qui** a fait ça.

On présente, on met en relief un nom en l'encadrant entre **C'est** et le pronom relatif **qui** (sujet) ou **que** (objet direct).

« DE » DEVANT L'ADJECTIF

J'ai **des** livres *intéressants*.
     1   2
J'ai **de** *bons* livres.
       2   1

Si l'adjectif qualificatif précède le nom, on emploie (surtout en français écrit) **de** et non **des.**

VERBES EN -ETER, -ELER

	acheter	jeter	peler	appeler
indicatif présent	j'ach**è**t*e* tu ach**è**t*es* il ach**è**t*e* nous achetons vous achetez ils ach**è**t*ent*	je j**ett***e* tu j**ett***es* il j**ett***e* nous jetons vous jetez ils j**ett***ent*	je p**è**l*e* tu p**è**l*es* il p**è**l*e* nous pelons vous pelez ils p**è**l*ent*	j'app**ell***e* tu app**ell***es* il app**ell***e* nous appelons vous appelez ils app**ell***ent*
futur	j'ach**è**terai	je j**ett**erai	je p**è**lerai	j'app**ell**erai
imparfait	j'achetais	je jetais	je pelais	j'appelais
passé composé	j'ai acheté	j'ai jeté	j'ai pelé	j'ai appelé

Devant un **e** muet, **-et** et **-el** deviennent **-èt, -èl** ou **-ett, -ell.**

SUBJONCTIF

répondre (3ᵉ groupe)

que je réponde
que tu répondes
qu'il réponde
que nous répond**ions**
que vous répond**iez**
qu'ils répondent

mettre (3ᵉ groupe)

que je mette
que tu mettes
qu'il mette
que nous mett**ions**
que vous mett**iez**
qu'ils mettent

		Exemples
11	**A partir de l'exemple, construisez des phrases semblables avec les éléments donnés :**	
a)	Marco achète tout chez le pharmacien. L'équipe de Marseille gagne tous les matchs. Cet acteur a fait rire tout le monde.	*Marco est très gentil, c'est lui qui achète tout chez le pharmacien.*
b)	Sophie pèse le bébé. Philippe danse la valse. Le père appelle le médecin. Le joueur lance la balle.	*Est-ce Sophie qui pèse le bébé?* *Non, ce n'est pas elle qui le pèse.*
c)	Le bébé crie beaucoup. Marco joue très bien au tennis. Marielle pousse fort sur ses skis. Elle va très vite.	*Oui, mais ce n'est pas lui qui crie le plus.*
d)	Grave, dangereux, lourd, simple.	*C'est grave?* *Je ne crois pas que ce soit si grave que ça.*
e)	Forts, anciennes, riches, adroites.	*Ils ont l'air forts.* *Nous ne sommes pas sûrs qu'ils soient aussi forts qu'ils en ont l'air.*
f)	Des yeux grands et noirs. Des dents petites et blanches. Des joues belles et rouges. Des livres nouveaux et agréables à lire.	*De grands yeux noirs.*
12	**Mettez à toutes les personnes du présent, de l'imparfait et du futur :** J'appelle le marchand et je lui achète des fruits; ils ne sont pas bons et je les jette.	
13	**Mettez à toutes les personnes du subjonctif :** Il ne faut pas que j'attende plus longtemps, il faut que je réponde et que je mette ma lettre à la boîte.	
14	**Placez chacune des phrases suivantes dans une situation que vous imaginerez :** C'est lui qui parlait tout le temps. Il ressemble à son père.	

La vie en images

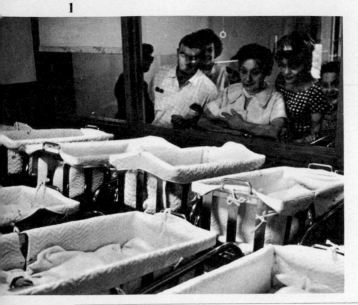

1

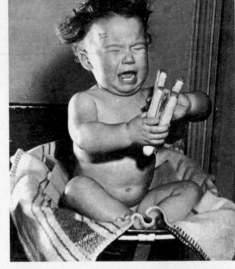

2

1 **Une pouponnière.**
   Qu'est-ce qu'il y a entre les visiteurs et les bébés?
   Pourquoi?

2 **Le pèse-bébé.**
   Est-ce que le bébé est content?
   Sur quoi est-il assis?

3 **Nurse** [nœrʃ] **et enfants.**
   Qu'est-ce que la nurse tient dans sa main gauche? Que lui donne l'enfant?

4 **Un baptême.**
   Que fait le prêtre?
   Comment appelle-t-on la femme et l'homme qui portent l'enfant?

3

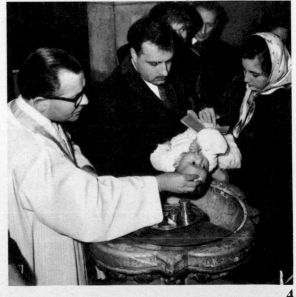

4

A l'état civil

L'employé	Qu'est-ce que c'est, Monsieur?
M. Durafour	Je viens pour déclarer un enfant.
L'employé	De quel sexe?
M. Durafour	Masculin.
L'employé	Vous avez votre livret de famille?
M. Durafour	Le voici.
L'employé	Votre nom est : Durafour Paul, né à Lyon, le 16 avril 1937. Et celui de votre femme : Sénéchal Jacqueline, née à Rennes, le 16 avril 1944. Tiens, c'est amusant! Votre anniversaire a lieu le même jour.
M. Durafour	Oui, nous les fêtons ensemble : comme ça, nous faisons des économies.
L'employé	Et quel prénom allez-vous donner à l'enfant?
M. Durafour	Nous l'appellerons Jean.
L'employé	Comme Racine ou comme La Fontaine.
M. Durafour	Non, comme son grand-père tout simplement.
L'employé	Est-ce qu'il lui ressemble?

M. Durafour	On ne sait pas encore, mais il est brun, lui aussi, et il a de bons poumons, comme avait mon père quand il chantait à l'Opéra. Je voudrais que vous l'entendiez, la nuit, quand il réclame son biberon.
L'employé	Je sais ce que c'est : je suis père de douze enfants!

On déménage

1	*Sophie*	Avec le bébé, notre appartement de deux pièces est trop petit maintenant.
2	*Mme Roche*	Vous n'allez pas déménager?
3	*Marco*	Mais si : nous voulons nous installer en banlieue.
4	*Mme Roche*	Où cela? Pas trop loin, j'espère.

5	*Marco*	A l'ouest de Paris, à Saint-Germain-en-Laye.
6	*Mme Roche*	C'est déjà loin.
7	*Marco*	Oh! à 20 km : un quart d'heure en voiture ou par le train.
8	*M. Roche*	Vous allez acheter un logement?

9	*Marco*	Non, je vais simplement louer un pavillon, que j'ai déjà visité.

déménager – changer de logement.
emménager s'installer dans un logement.
un ménagerie – dans un cirque, les numéros avec les animaux.
aménager – rendre confortable
se ménager prendre soin de soi – stress

6

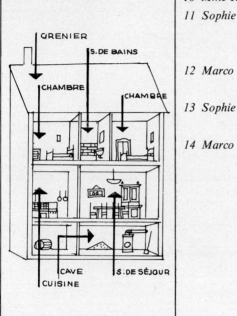

GRENIER
S.DE BAINS
CHAMBRE
CHAMBRE
CAVE
CUISINE
S.DE SÉJOUR

10	*Mme Roche*	C'est grand?
11	*Sophie*	Au rez-de-chaussée : nous avons une belle salle de séjour, et une cuisine moderne.
12	*Marco*	Au premier : deux chambres et une salle de bains.
13	*Sophie*	Au-dessus, un grenier, et au sous-sol, une cave.
14	*Marco*	Nous serons près de la forêt.

SUPER MARCHE
GERIE BOUCHERIE EPICE

15	*Sophie*	Et il y a dans le voisinage un super-marché avec boucherie, boulangerie, épicerie.
16	*Mme Roche*	Je n'aime pas la banlieue : je préfère Paris.
17	*Sophie*	A Saint-Germain, l'air sera meilleur pour le petit... Marco vous emmène tous deux dimanche à Saint-Germain, voulez-vous?
18	*Mme Roche*	Bien sûr, si ça ne le dérange pas.
19	*Marco*	Mais non, Maman. C'est moi qui aurai tout le plaisir.

adverbe

c'est
C'est moi qui
meilleur. mieux
bon ? bien

43

Tableaux structuraux

1

	moi	aurai	tout le plaisir
	toi	auras	tout le travail
C'est	lui	aura	
qui	nous	aurons	toutes les fatiques
	vous	aurez	tous les ennuis
	eux	auront	

2

	moi	serai	en banlieue
	toi	seras	en province
C'est	elle	sera	en ville
qui	nous	serons	au bord de la mer
	vous	serez	à la campagne
	elles	seront	

3

Que vas-tu		
	faire	?
Qu'allez-vous		

Je vais	louer un pavillon		j'ai déjà	visité
	acheter un bateau			essayé
	acheter un disque	que		écouté
	revoir un film			vu
Nous allons	reprendre l'avion		nous avons déjà	pris
	refaire le voyage			fait

4

	la banlieue			Paris	
	Paris			la province	
Je n'aime pas	la physique	, je préfère	Paris	la chimie	
	la peinture		la province	le dessin	
	le poisson		la chimie	la viande	
	l'eau		le dessin	le vin	

Moi aussi, c'est ... que je préfère

Paris	
la province	
la chimie	que je préfère
le dessin	
la viande	
le vin	

5

Nous voulons	nous installer		Saint-Germain	à l'	Ouest
			Vincennes		Est
Je ne pense pas		à	Chantilly		Nord
	que nous nous installions		Orly	au	Sud
			Versailles		Sud Ouest
Je suis content			Fontainebleau		Sud-Est

de Paris

6

Et l'installation	du	gaz / téléphone / chauffe-eau / chauffage central	?		Nous allons installer	le	gaz / téléphone / chauffe-eau / chauffage central	demain
	de l'	électricité				l'	électricité	
	de la	télévision / radin / salle de bains				la	télévision / radio / salle de bains	

7

Et pour	les provisions / la viande / le pain / le sucre et le café / les médicaments / les courses	?		Pour	les provisions / la viande / le pain / le sucre et le café / les médicaments / les courses	,	il y a	un supermarché / une boucherie / une boulangerie / une épicerie / une pharmacie / des marchands	dans le quartier / dans le voisinage / à côté

8

Je vais	à la	boucherie / boulangerie / pharmacie
	chez le	boucher / boulanger / pharmacien

9

Le sous-sol	est	au-dessous	du	rez-de-chaussée
La cave				1er étage
Le rez-de-chaussée				
Les chambres	sont		du	séjour
Le grenier	est	au-dessus	des	chambres
La salle de bains			de la	cuisine

10

Nous le (l')	prendrons / paierons / mettrons / dirons / achèterons / enverrons	quand vous	viendrez / passerez / arriverez / descendrez / serez là / téléphonerez		Il faut que vous	veniez / passiez / arriviez / descendiez / soyez là / téléphoniez	pour que nous le (l')	prenions / payions / mettions / disions / achetions / envoyions

Grammaire

C'est **moi** qui écrirai la lettre.
C'est **toi** qui écriras la lettre.
C'est **lui (elle)** qui écrira la lettre.
C'est **nous** qui écrirons la lettre.
C'est **vous** qui écrirez la lettre.
Ce sont **eux (elles)** qui écriront la lettre.

On met en relief le pronom personnel sujet (**moi, toi, lui, elle, nous, vous, eux, elles**) par le présentatif **c'est (moi) qui.** Le verbe s'accorde avec le pronom personnel.

VERBES EN -ÉRER, -ÉLER

préférer

indicatif présent

je préf**è**re
tu préf**è**res
il préf**è**re
nous préf**é**r**ons**
vous préf**é**rez
ils préf**è**r**ent**

futur   je préférerai
imparfait   je préférais
passé composé j'ai préféré

Les verbes en -érer, -éler remplacent généralement **é** par **è** devant un e muet.

*indicatif je viens
tu viens
il vient
nous venons
vous venez
ils viennent*

*je tiens
tu tiens
il tient
nous tenons
vous tenez
ils tiennent*

SUBJONCTIF

prendre (3e groupe)

que je pren**ne**
que tu pren**nes**
qu'il pren**ne**
que nous pren**ions**
que vous pren**iez**
qu'ils pren**nent**

venir (3e groupe)

que je vien**ne**
que tu vien**nes**
qu'il vien**ne**
que nous ven**ions**
que vous ven**iez**
qu'ils vien**nent**

tenir (3e groupe)

que je tien**ne**
que tu tien**nes**
qu'il tien**ne**
que nous ten**ions**
que vous ten**iez**
qu'ils tien**nent**

		Exemples
15	**A partir de l'exemple, construisez des phrases semblables avec les éléments donnés :**	
a	J'installerai la salle de bains (l'installation). Ils répareront la voiture (la réparation). Vous louerez un pavillon (la location).	*C'est moi qui ferai l'installation de la salle de bains.*
b	Je serai à Paris et vous à Saint-Germain. Ils iront à Chartres et nous à Rouen. Vous finirez à 4 heures et eux à 8 heures. Tu étudieras l'espagnol et elle le grec.	*C'est moi qui serai à Paris et vous qui serez à Saint-Germain.*
c	Vous avez pris le train et lui l'avion. Je suis allé en Chine et elle en Australie. Nous sommes partis en octobre et eux en décembre.	*C'est vous qui avez pris le train et lui qui a pris l'avion.*
d	J'ai visité un pavillon, je vais le louer. Elle a vu un chapeau, elle va l'acheter. Nous avons fait construire une maison, nous allons l'habiter bientôt. Vous avez choisi un bon vin, vous allez le boire.	*Je vais louer un pavillon que j'ai visité.*
e	Vous n'aimez pas la mer? (la montagne) Ils n'aiment pas le cinéma? (le théâtre) Tu n'aimes pas Paris? (la banlieue) Il n'aime pas les blondes (les brunes)	*Non, c'est la montagne que nous préférons.*
f	La boulangerie (le boulanger) La boucherie (le boucher) L'épicerie (l'épicier) La pharmacie (le pharmacien)	*— Je vais à la boulangerie.* *— Je vais chez le boulanger.* *— Je vais chez la boulangère.*
16	**Complétez les phrases suivantes à l'aide des verbes : prendre, comprendre, apprendre, venir, revenir, tenir.**	
	J'attends que le médecin... voir Marc. Quand vous roulez, il faut que vous... votre droite. Je suis content qu'elles ... à conduire. Je voudrais que vous ... au bureau à 8 heures. Êtes-vous sûr que les étudiants ... bien les leçons? Je ne pense pas que nous ... à Paris l'an prochain. J'ai peur qu'elle ne ... pas debout. Je ne voudrais pas que vous ... froid.	
17	**Placez la phrase et les expressions suivantes dans deux situations que vous imaginerez :**	
	Pour les courses, il y a des marchands dans le quartier. C'est vous qui... Lui, il aime mieux... Elle, elle préfère...	

La vie en images

rame de metro, le train pour le metro.
le quai du metro.

1

1 Métro

Est-ce que la photo a été prise à une heure d'affluence?

2 Autoroute

Où se trouvent les autos qui vont rejoindre l'autoroute? Celles qui en sortent?

Montrez un panneau indiquant la direction à suivre.

3 Toboggan.

A quoi sert le toboggan représenté ici?

Que font les deux jeunes filles? Est-ce qu'il fait beau?

4 Maison de banlieue.

Où se trouve la fenêtre de la cuisine? La porte du garage?

Qu'aperçoit-on sur le toit, à droite?

2

3

4

5

5 Supermarché.

Qu'est-ce qu'un « mammouth »? Et pourquoi donne-t-on ce nom à ce magasin?

Comment écrase-t-il les prix?

Dans quoi les deux femmes, à droite, ont-elles mis leurs achats?

6 Grand ensemble.

Qu'est-ce qui caractérise l'architecture de ce grand ensemble?

7 Train de banlieue.

Différences entre le train de banlieue et le métro (photo n° 1)?

Où se dirigent les gens situés à droite? Comment sont-ils habillés?

6

Les nouveaux départements de la région parisienne.

7

Où stationner?

Marco a pris sa voiture pour aller à Paris, dans le quartier de l'Opéra. Il a quitté Saint-Germain à 8 h 15. Il est 8 h 45 : ça a bien roulé. Mais maintenant il faut garer la voiture...

Où? Dans un parking? Non, c'est déjà plein. Ah! ici... Mais il n'y a pas la place.

Marco essaie (essaye) plusieurs fois de caser sa voiture : inutilement. Alors, un peu plus loin?

Non, il y a une bande rouge et blanche au bord du trottoir : *Stationnement interdit*... « Tiens, là-bas, je vois une place vide. Allons-y! Non, c'est devant une porte cochère...

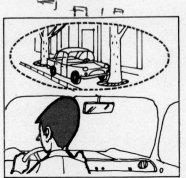

Tant pis, je vais la mettre sur le trottoir... »

Hélas! un agent arrive : « Ne la laissez pas là, mettez-la ailleurs. — Mais, monsieur l'agent, je ne trouve de place nulle part.
— Je n'y peux rien; ce n'est pas moi qui paierai la contravention! »

Enfin Marco profite du départ d'un automobiliste pour occuper bien vite sa place. Ouf!

« Décidément, pense Marco, il faudra que je prenne le train pour aller à Paris. Après tout, ça me fera du bien d'aller à pied jusqu'à la gare. D'ailleurs le médecin m'a dit : « Votre voiture, ne la prenez pas tous les jours... »

Tableaux structuraux

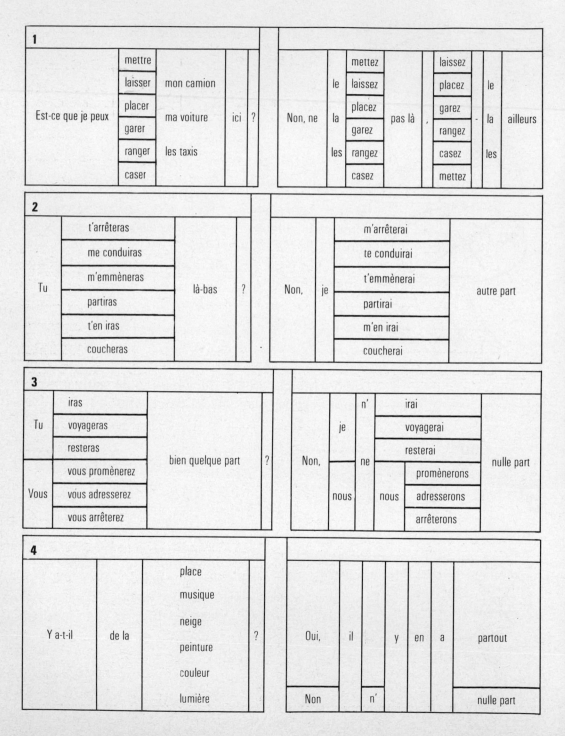

1

| Est-ce que je peux | mettre / laisser / placer / garer / ranger / caser | mon camion / ma voiture / les taxis | ici | ? |

| Non, ne | le / la / les | mettez / laissez / placez / garez / rangez / casez | pas là | , | laissez / placez / garez / rangez / casez / mettez | - | le / la / les | ailleurs |

2

| Tu | t'arrêteras / me conduiras / m'emmèneras / partiras / t'en iras / coucheras | là-bas | ? |

| Non, | je | m'arrêterai / te conduirai / t'emmènerai / partirai / m'en irai / coucherai | autre part |

3

| Tu / Vous | iras / voyageras / resteras / vous promènerez / vous adresserez / vous arrêterez | bien quelque part | ? |

| Non, | je / nous | n' / ne / nous | irai / voyagerai / resterai / promènerons / adresserons / arrêterons | nulle part |

4

| Y a-t-il | de la | place / musique / neige / peinture / couleur / lumière | ? |

| Oui, | il | y | en | a | partout |
| Non | | n' | | | nulle part |

52

5

Jusqu'où / Jusqu'à quand	pensez-vous	aller / rester	?	Jusqu'			, jusqu'		
					en	Alsace		à	Strasbourg
					au	village		à l'	école
					à la	ville		aux	premières maisons
					en	octobre		au	20
					à la	fin du mois		à	mardi
					aux	vacances		à l'	été

6

Il	profite	du départ	d'un	automobiliste / spectateur / voyageur / consommateur	pour	occuper sa place / lire / acheter ses draps / se reposer
		des grandes vacances				
		des occasions				
		du dimanche				

Il	en	profite pour	occuper sa place / lire / acheter ses draps / se reposer

7

Nous allons bientôt	partir / descendre / venir / répondre / comprendre / finir	Il est temps que vous	partiez / descendiez / veniez / répondiez / compreniez / finissiez

8

Je ne	peux / comprends / connais / sais / crois / pense	rien	à cela / de cela

Je n'	y / en	peux / comprends / connais / sais / crois / pense	rien

53

Grammaire

(handwritten: 538. 476)

LA PLACE DU PRONOM AVEC L'IMPÉRATIF

Votre chapeau, **mettez-le** sur le fauteuil.
Ne **le mettez** pas sur la table.

(handwritten: Ne le lui prêtez pas ?)

Avec l'impératif affirmatif, le pronom personnel se place après le verbe. Avec l'impératif négatif, il se place entre **ne** et le verbe.

LES ADVERBES DE LIEU INDÉFINIS

Cet été je resterai en France; je n'irai **nulle part**.
Mais, l'été prochain, je voyagerai : j'irai **quelque part**.
Je n'irai pas en Amérique : j'irai **autre part** (= **ailleurs**).

VERBES EN -YER

essayer

j'essaye (j'essaie)
tu essayes (tu essaies)
il essaye (il essaie)
nous essayons
vous essayez
ils essayent (ils essaient)

j'essayerai (j'essaierai)

j'essayais

j'ai essayé

nettoyer

je nettoie
tu nettoies
il nettoie
nous nettoyons
vous nettoyez
ils nettoient

je nettoierai

je nettoyais

j'ai nettoyé

essuyer

j'essuie
tu essuies
il essuie
nous essuyons
vous essuyez
ils essuient

j'essuierai

j'essuyais

j'ai essuyé

Les verbes en -**ayer** peuvent remplacer **y** par **i** devant un **e** muet. Les verbes en -**oyer**, -**uyer** remplacent toujours **y** par **i** devant un **e** muet.

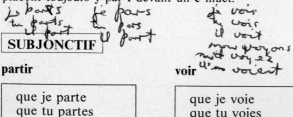

SUBJONCTIF

partir

que je parte
que tu partes
qu'il parte
que nous part**ions**
que vous part**iez**
qu'ils partent

voir

que je voie
que tu voies
qu'il voie
que nous voy**ions**
que vous voy**iez**
qu'ils voient

à Nice
en Savoie

Cet été - qui viens.

18 **A partir de l'exemple, construisez des phrases semblables avec les éléments donnés :**	**Exemples**
a) Achetez votre pain ici. Laissez votre voiture ici. Louez votre pavillon ici. Faites vos provisions ici.	*Achetez-le ici, ne l'achetez pas ailleurs.*
b) Construisez votre maison là-bas. Prenez vos repas là-bas. Posez vos affaires là-bas. Traversez la rue là-bas.	*Ne la construisez pas là-bas, construisez-la autre part.*
c Veux-tu des fleurs? Veut-elle de la lumière? Voulez-vous des tableaux? Veulent-elles de la lumière?	*Oui, j'en veux partout.* *Non, je n'en veux nulle part.*
d) Cet été, je n'irai pas à Nice. Cet hiver, nous ne partirons pas en Savoie. Dimanche, je ne t'emmènerai pas à Rouen. Ce soir, nous n'irons pas au cinéma.	*Cet été, tu n'iras nulle part?* *Si, j'irai quelque part; pas à Nice, autre part.*
e En Bourgogne, à Dijon En Auvergne, à Clermont-Ferrand En Champagne, à Reims En Lorraine, à Nancy.	*Dimanche, jusqu'où irez-vous?* *Jusqu'en Bourgogne, jusqu'à Dijon.*
f Au parking (il). Au cinéma (nous). Dans le train (vous). Au café (elle).	*Au parking, il profite du départ d'un automobiliste pour occuper sa place.*

19 Mettez à toutes les personnes :

Il faut que j'essaye mon costume, je l'essayerai, je l'essaye, je l'ai essayé.
Il faut que je nettoie le grenier, je le nettoierai, je le nettoie, je l'ai nettoyé.
Il faut que j'essuie le tableau, je l'essuierai, je l'essuie, je l'ai essuyé.

20) Complétez les phrases suivantes à l'aide des verbes : partir, voir.

Je ne pense pas qu'il ... très tôt. Il faut que vous ... vos parents ce soir. Il faut que vous ... en vacances. Il est possible que je ... ma mère. Il vaut mieux que vous ne ... pas en voiture.

La vie en images

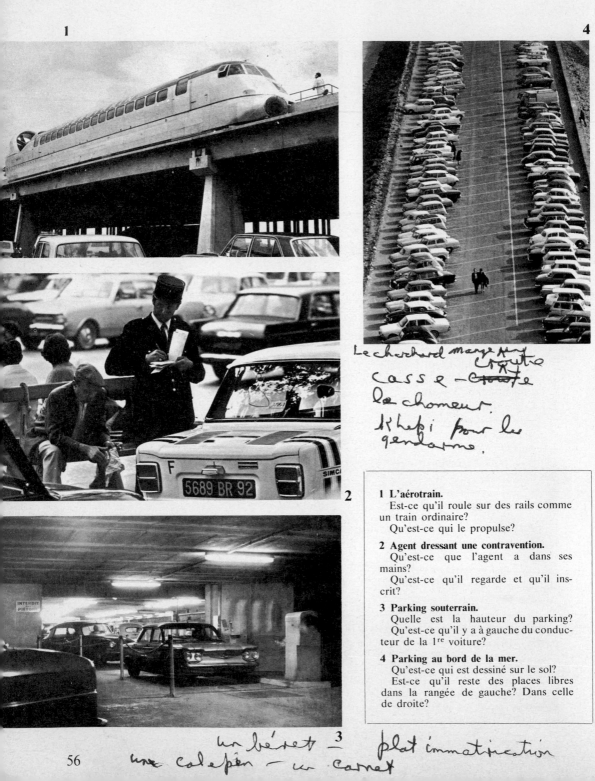

1

4

Le chercheur mange une croûte
casse-croûte
le chômeur.
képi pour le gendarme.

5689 BR 92

2

1 L'aérotrain.
Est-ce qu'il roule sur des rails comme un train ordinaire?
Qu'est-ce qui le propulse?

2 Agent dressant une contravention.
Qu'est-ce que l'agent a dans ses mains?
Qu'est-ce qu'il regarde et qu'il inscrit?

3 Parking souterrain.
Quelle est la hauteur du parking?
Qu'est-ce qu'il y a à gauche du conducteur de la 1re voiture?

4 Parking au bord de la mer.
Qu'est-ce qui est dessiné sur le sol?
Est-ce qu'il reste des places libres dans la rangée de gauche? Dans celle de droite?

un béret **3** *plat immatriculation*
un calepin — un carnet

On n'arrête pas le progrès

(à la gare :)

M. Hamel	Dites donc, vous n'êtes pas en avance : deux minutes de plus et vous manquiez le train.
M. Vignon	Je vais vous expliquer. J'ai voulu venir à la gare en auto, mais arrivé à Saint-Lazare, je n'ai pas pu stationner. Finalement, j'ai laissé ma voiture dans un garage à un kilomètre d'ici. « Ne la rangez pas, m'a dit le garagiste. Je vais la descendre au sous-sol. Essayez plutôt de trouver un taxi. » C'est ce que j'ai fait. Ouf, j'ai eu chaud !

M. Hamel	Heureusement, vous allez vous reposer pendant le voyage.
M. Vignon	Oui, de Paris à Cherbourg, j'ai le temps.
M. Hamel	Oh! le turbo-train ne met que trois heures pour faire les 350 kilomètres.
M. Vignon	Oui, c'est assez bien. Mais vous savez que, dans quelques années, le *Concorde* ne mettra pas davantage pour aller en Amérique. Quand vous voudrez déjeuner à New York, il faudra que vous partiez de Paris à 15 heures. Amusant, n'est-ce pas? J'espère vivre assez longtemps pour voir cela.
M. Hamel	Nous verrons bien d'autres choses encore ! On n'arrête pas le progrès, comme on dit dans les journaux.

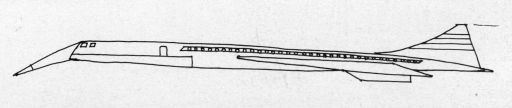

Un pique-nique en forêt

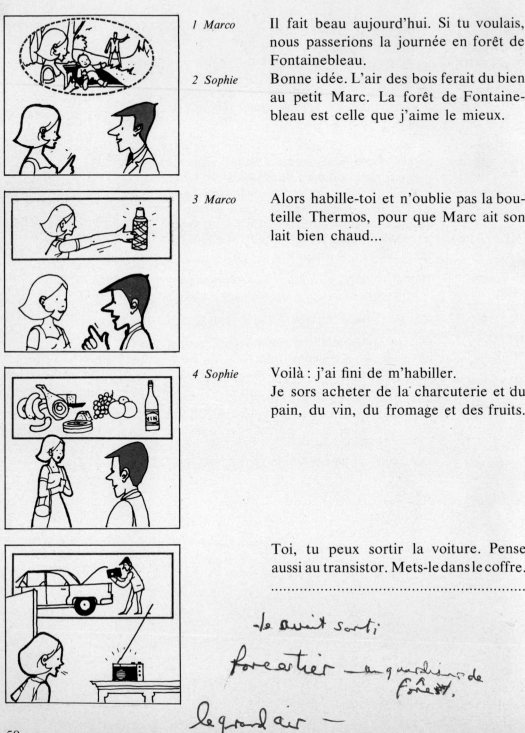

Si le cœur nous passe

1 Marco — Il fait beau aujourd'hui. Si tu voulais, nous passerions la journée en forêt de Fontainebleau.

2 Sophie — Bonne idée. L'air des bois ferait du bien au petit Marc. La forêt de Fontainebleau est celle que j'aime le mieux.

3 Marco — Alors habille-toi et n'oublie pas la bouteille Thermos, pour que Marc ait son lait bien chaud...

4 Sophie — Voilà : j'ai fini de m'habiller. Je sors acheter de la charcuterie et du pain, du vin, du fromage et des fruits.

Toi, tu peux sortir la voiture. Pense aussi au transistor. Mets-le dans le coffre.

....

le avait sorti

forestier — un gardien de forêt.

le grand air —

5 *Marco*   On s'arrête au bord de l'eau, pour pique-niquer? On serait bien ici.

6 *Sophie*   Oui, mais il nous faut un endroit pas trop humide.

7 *Marco*   On doit trouver ça facilement au mois de juin. Le soleil commence à être chaud, tu sais...

8 *Sophie*   Tiens, je vais cueillir quelques fleurs.

9 *Marco*   Écoute, ce n'est pas le moment; commençons à manger, j'ai faim, moi.

10 *Sophie*   Bon, d'accord... Dis donc, je vois les assiettes, les couteaux et les verres, mais on a oublié les cuillers et les fourchettes.

11 *Marco*   Eh bien, mangeons sans cuillers ni fourchettes, ce sera plus amusant!

Tableaux structuraux

1

Les	apporteras attacheras garderas	tu	
	prendrons mettrons vendrons	nous	?
	cueilleront enverront ouvriront	ils	

Si	je	les	apportais attachais gardais	je	les	apporterais attacherais garderais	tous
	nous		prenions mettions vendions	nous		prendrions mettrions vendrions	
S'	ils		cueillaient envoyaient ouvraient	ils		cueilleraient enverraient ouvriraient	

2

Qu'est-ce que nous	pouvons	faire	?
	pourrions		

Si tu	veux	nous	passerons — la journée en forêt
			pourrons — pique-niquer
			irons — jusqu'à Fontainebleau
			visiterons — le château
			rentrerons — par Versailles
	voulais		passerions — la journée en forêt
			pourrions — pique-niquer
			irions — jusqu'à Fontainebleau
			visiterions — le château
			rentrerions — par Versailles

3

Il faudrait que	j'	achète de la charcuterie essaye la voiture essuie les glaces emporte les assiettes et les cuillers emmène Marc	Tu devrais	acheter de la charcuterie essayer la voiture essuyer les glaces emporter les assiettes et les cuillers emmener Marc
	nous	sortions la voiture prenions les couteaux et les fourchettes mettions tout dans le coffre partions à 9 heures revenions à 20 heures	Vous devriez	sortir la voiture prendre les couteaux et les fourchettes mettre tout dans le coffre partir à 9 heures revenir à 20 heures.

4

Si							
	j'étais	chauffeur	je serais	sur la route		j'aurais	un poids lourd à conduire
	tu étais	sportif	tu serais	au stade		tu aurais	une partie à jouer
	elle était	dactylo	elle serait	au bureau	et	elle aurait	des lettres à écrire
	nous étions	boulangers	nous serions	à la boulangerie		nous aurions	du pain à faire
	vous étiez	épiciers	vous seriez	à l'épicerie		vous auriez	des clients à servir
	elles étaient	professeurs	elles seraient	au lycée		elles auraient	de la physique à expliquer

5

N'oublions pas		pour que	
	la bouteille thermos		Marc ait son lait bien chaud
	l'appareil		nous prenions des photos
	le transistor		nous ayons un peu de musique
	le guide Michelin		nous profitions de notre promenade
	le plan		nous ne perdions pas notre route
	de faire le plein d'essence		nous roulions tranquilles

6

Nous arrivions		nous commencions		manger			
Vous arriviez	et	vous commenciez	à	pique-niquer			aussitôt
Ils arrivaient		ils commençaient		servir			
		Nous finissions		danser		nous partions	
		Vous finissiez	de	chanter	et	vous partiez	
		Ils finissaient		jouer		ils partaient	

Grammaire

LA SUPPOSITION, LA CONDITION

S'il s'agit d'une supposition qui se réalisera probablement, on emploie le présent de l'indicatif dans la subordonnée (**si**...) et le futur dans la principale :

Si tu **veux**, je **passerai** te voir (tu voudras sans doute).

Mais s'il s'agit d'une supposition qui ne se réalisera peut-être pas ou probablement pas, on emploie l'imparfait de l'indicatif dans la subordonnée et le conditionnel dans la principale.

Si tu **voulais**, je passe**rais** te voir (tu ne voudras peut-être pas).
Si tu **voulais**, nous passe**rions** la journée à Fontainebleau.
Si Patrice **venait** aussi, je se**rais** content.
Si tu **faisais** du théâtre, tu au**rais** du succès.

LE CONDITIONNEL

je passer**ais**, tu passer**ais**, il passer**ait**, nous passer**ions**, vous passer**iez**, ils passer**aient**.

Le conditionnel se forme au moyen du futur en remplaçant **-ai** par **-ais**, **-as** par **-ais**, etc.

COMMENCER À, FINIR DE

A 9 heures, je commence **à** travailler.   A 17 heures, je finis **de** travailler.

Remarquez les prépositions différentes : **à, de**.

VERBES EN -CER, -GER

commencer

je commence	
tu commences	
il commence	**ç devant o, a**
nous commen**ç**ons	je commen**c**erai
vous commencez	je commen**ç**ais
ils commencent	j'ai commen**c**é

manger

je mange	
tu manges	
il mange	**e devant o, a**
nous mang**e**ons	je mang**e**rai
vous mangez	je mang**e**ais
ils mangent	j'ai mang**é**

SUBJONCTIF

croire (3e groupe)

que je croie
que tu croies
qu'il croie
que nous croy**ions**
que vous croy**iez**
qu'ils croient

écrire (3e groupe)

que j'écrive
que tu écrives
qu'il écrive
que nous écriv**ions**
que vous écriv**iez**
qu'ils écrivent

boire (3e groupe)

que je boive
que tu boives
qu'il boive
que nous *bu*v**ions**
que vous *bu*v**iez**
qu'ils boivent

63 a — e

71 — a — d.

		Exemples
21	**A partir de l'exemple, construisez des phrases semblables avec les éléments donnés.**	
a	Inscrivez-vous tous les enfants? Prendrez-vous tous les renseignements? Cueillerez-vous toutes les fleurs? Attendrez-vous tous les voyageurs?	*Si nous les inscrivons, nous les inscrirons tous.* *Si nous les inscrivions, nous les inscririons tous.*
b	Manger, nager, ranger, déménager, avancer, commencer, se placer.	*Si je mangeais, vous mangeriez aussi?* *Oui, si tu mangeais, nous mangerions aussi.*
c	Essayer des chapeaux, essuyer des assiettes, envoyer des invitations, nettoyer la cuisine.	*Si nous essayions des chapeaux, vous en essayeriez (essaieriez) aussi?*
d	Se garer, s'installer, s'arrêter, se peser.	*Si tu te garais d'abord, elle se garerait après.*
e	Le garagiste, au garage, répare une voiture. (je) L'employé, au bureau, photocopie des dessins. (tu) Le juge, au tribunal, lit la sentence. (il) L'infirmière, à l'hôpital, soigne les malades. (elles)	*Si j'étais garagiste, je serais au garage, j'aurais une voiture à réparer.*
f	Courir, fumer, boire, jouer.	*Ne courez plus. Il ne faudrait plus que vous couriez.*
g	M'aider à déménager, m'appeler un taxi, téléphoner au médecin, vacciner le bébé, mettre la table, servir à boire, aller chez le pharmacien, nous photographier.	*Voudriez-vous m'aider à déménager?* *Pourriez-vous m'aider à déménager?*
22	**Complétez les phrases suivantes à l'aide des verbes : croire, boire, écrire.**	
	Il faut que tu me ... . Nous avons soif, il faut que nous ... . J'ai peur qu'on ne me ... pas. Je voudrais que vous ... à votre client. S'ils ne sont pas contents, qu'ils .... eux-mêmes. Ils ont trop bu, il ne faudrait plus qu'ils... .	
23	**Répondez aux questions suivantes et construisez des phrases :**	
	Qu'est-ce que vous feriez : Si vous étiez malade? Si vous étiez libre? Si vous aviez du temps et beaucoup d'argent?	*Si j'étais malade, je me coucherais, je prendrais ma température et j'appellerais le médecin. Il viendrait, etc.*

La vie en images

Handwritten annotations:
- à l'ombre — que quelqu'un ...
- une chaise pliante
- un sentier
- à l'ombre
- au soleil

1

2

1 **Le pavillon des fleurs aux Halles de Rungis.**
   Sommes-nous ici dans la boutique d'un fleuriste?

2 **Marchande de fleurs dans la rue.**
   Quelles sortes de fleurs pouvez-vous reconnaître? Dans quoi sont-elles placées?

3 **Pique-nique au bord de la route.**
   Que pensez-vous de l'installation de chacun
   des deux groupes? Laquelle préférez-vous?

4 **La télé avec nous.**
   Faut-il emporter une télé en voyage?

Handwritten annotations:
- un tablier — elle porte un tablier (apron)

Handwritten annotations at bottom:
- un maillot de corps.
- un béret
- un foulard.

3

4

64

« Dites-le avec des fleurs! »

Mme Girardin   Tu n'as pas encore fini de manger, Paul! Mais à quoi penses-tu?

Paul (20 ans)   Je pense à Karin, maman. Après-demain, c'est son anniversaire. Il faudrait que je lui envoie un cadeau. Tu ne peux pas me donner une idée?

Mme Girardin   Offre-lui un collier ou un bracelet ou une bague.

Paul   Oh! ce n'est pas dans mes moyens!

Mme Girardin   Choisis-lui une jolie petite robe.

Paul   Non. Les vêtements, il faut les essayer avant de les acheter.

Mme Girardin   Alors, envoie-lui des fleurs. C'est un cadeau qui fait toujours plaisir à une femme. Des roses, des œillets... au mois de juin, il n'y a que l'embarras du choix.

Paul   Karin adore les roses rouges. Ce serait une bonne idée si elle n'habitait pas la Norvège. Nos fleurs n'auront pas le temps de lui arriver.

Mme Girardin   Mais si, avec « Interflora », c'est facile. Tu vas chez un bon fleuriste, tu lui commandes une douzaine de belles roses, tu les paies et il télégraphie à Oslo : deux jours après, Karin reçoit ses fleurs. Mais il faut aussi que tu lui écrives un petit mot, ce sera plus gentil.

Paul   Oh! je lui téléphonerai. Ça lui fera encore plus de plaisir.

Musique pop

1 *Marco*   C'est à Orléans que votre festival pop aura lieu?

2 *Patrice*   Oui, je pars jeudi avec Michel. Il apporte sa guitare. On chantera; nous connaissons toutes les chansons des jeunes.

3 *Marco*   Il y aura beaucoup de participants?

4 *Michel*   On attend 50 000 étudiants et jeunes travailleurs de tous les pays.
Nous emmènerons aussi Luc, Alain et Odile.

5 *Marco*   Oh! vous serez à cinq dans votre petite Renault?

6 *Patrice*   On tiendra : nous ne sommes pas bien gros. Et puis, Orléans n'est qu'à une heure et demie de Paris.

7 Sophie   Mais vous n'allez pas chanter pendant les quatre jours du festival?

8 Patrice   Il y aura aussi des manifestations pour la paix et la liberté.

9 Michel   Je crois que les jeunes tiennent à la justice autant qu'à la liberté. Ils sont toujours du côté des malheureux.

10 Karl   Si je pouvais rester en France, je participerais à votre réunion. Mais je dois partir demain pour l'Allemagne.

11 Michel   A la télé, peut-être que vous nous entendrez chanter.

12 Marco   Ça me fera plaisir. J'aime bien la musique pop.

13 Sophie   Si j'avais pu, j'aurais pris un congé pour assister au festival, moi aussi.

Tableaux structuraux

1

| C'est à Orléans que | votre | festival / spectacle / meeting / grève / manifestation / partie | aura / va avoir / doit avoir / devait avoir / devrait avoir | lieu | ? | Oui, c'est là | qu' / il / elle | aura / va avoir / doit avoir / devait avoir / devrait avoir | lieu |

2

| Si | je / j' | peux / pouvais / avais pu | , | je / j' | prendrai / prendrais / aurai pris | un congé | pour | participer à votre réunion / assister au festival / partir avec vous / manifester avec eux / voir votre spectacle / aller à Orléans |

3

| Nous ne sommes pas | venus à pied / allés au théâtre / arrivés à temps | | Si nous avions | pu / su | , | nous serions | venus à pied / allés au théâtre / arrivés à temps |
| Nous n'avons pas | pris de taxi / appris à conduire / apporté de fleurs | | | voulu | | nous aurions | pris un taxi / appris à conduire / apporté des fleurs |

4

Ils tiennent à			qu'à		la liberté
Ils aiment	la justice	moins / autant / plus	que		
Ils parlent de			que de		

5

| Nous | lisons / faisons / voyons / prenons | moins / autant / plus | de | livres / sport / films / congé | qu'eux |

6

	ici	que			a dormi			
					s'est arrêté			
					a passé la nuit			
C'est			Patrice		a déjeuné	?		
				qui	a habité			
					s'est marié	ici		
					s'est installé			

		ici			ailleurs
Oui, c'est			,	pas	
		lui			un autre

7

		enfants	rire			
	les	spectateurs				
		personnes	chanter			
		manifestants				
Nous entendrons		gens			?	
			crier		enfants	
				les	spectateurs	
			parler		personnes	
					manifestants	
					gens	

				rire	
				chanter	
Oui,	vous	les	entendrez		
				crier	
				parler	

8

Écoutez-le	lui		vous écoutiez
Suis les enfants	eux		tu suives
Servez-nous	nous		vous serviez
Recevez les femmes	elles		vous receviez
Regarde-toi	toi	C'est qu'il faut que	tu regardes
Payons-la	elle		nous payions
Reçois-les	eux		tu reçoives
Emmène Sylvie	elle		tu emmènes
Prenons-les	eux		nous prenions
Conduisez-le	lui		vous conduisiez

Grammaire

handwritten:
l'arrivée — le départ
l'entrée — le montée
la sortie — l'issue
la descente — l'ascension,
la réponse

LES PRÉSENTATIFS

C'est **Patrice qui** a dormi ici (ce n'est pas moi). (Voir leçon 5.)
mais
C'est **à Patrice que** je donne le livre (ce n'est pas **à** un autre).
C'est **de Patrice que** je parle (ce n'est pas **d'**un autre).
C'est **ici que** Patrice a dormi (ce n'est pas ailleurs).

Pour présenter ou mettre en relief un complément *indirect*, ou un complément circonstanciel, on emploie **c'est... que...**

LE CONDITIONNEL PASSÉ

Si je prenais le train de 8 heures, j'arriverais à temps. (Voir leçon 8.)
Hier, si j'avais pris le train de 8 heures, je **serais arrivé** à temps.
(Je **serais** arrivé, tu **serais** arrivé, il **serait** arrivé, etc.
J'**aurais** fait, tu **aurais** fait, il **aurait** fait, etc.).

Pour exprimer une supposition ou une condition qui se replace dans le *passé*, on emploie le *conditionnel passé* dans la principale et le *plus-que-parfait de l'indicatif* dans la subordonnée (*si...*).

L'INFINITIF APRÈS « VOIR, ENTENDRE, SENTIR »

Les oiseaux chantent : je les entends = J'entends les oiseaux chanter.
J'entends chanter les oiseaux.
mais Je les entends chanter. Vous nous entendez chanter.

On construit avec l'infinitif les verbes comme *voir, entendre, sentir*.
Le sujet de l'infinitif, si c'est un nom *(oiseaux)* peut être **avant** ou **après** l'infinitif; si c'est un pronom personnel *(les, nous,* etc.), il est toujours **avant** l'infinitif.

SUBJONCTIF

mourir

que je **meure**...
que nous mour**ions**
que vous mour**iez**
qu'ils meurent

vivre

que je vive...
que nous viv**ions**
que vous viv**iez**
qu'ils vivent

suivre

que je suive...
que nous suiv**ions**
que vous suiv**iez**
qu'ils suivent

servir

que je serve...
que nous serv**ions**
que vous serv**iez**
qu'ils servent

recevoir

que je reçoive...
que nous recev**ions**
que vous recev**iez**
qu'ils reçoivent

Exercices oraux ou écrits

a — d.
F

24	**A partir de l'exemple, construisez des phrases semblables avec les éléments donnés :**	**Exemples**

24 **A partir de l'exemple, construisez des phrases semblables avec les éléments donnés :**

Exemples

a
Si je prends le train de 8 heures, j'arriverai à temps.
Si je peux rester, je participerai à la réunion.
Si nous pouvons, nous prendrons un congé.
Si elle a le temps, elle ira se promener.

Si je prenais le train de 8 heures, j'arriverais à temps.
Si j'avais pris le train de 8 heures, je serais arrivé à temps.

b
On n'a pas condamné les responsables
        suivi la manifestation.
        entendu les chansons.

On aurait pu les condamner.

c
Vous n'avez pas participé à la réunion.
Nous n'avons pas assisté au festival.
Nous ne sommes pas allés à Orléans.
Ils ne sont pas restés à Paris.

Vous auriez dû y participer.

d
Nous ne sommes pas venus en voiture.
Vous n'êtes pas allés en vacances.
Ils n'ont pas apporté de fleurs.

Si nous avions su, nous serions venus en voiture.

e
Jacques a vécu ici.
Sophie a étudié ici.
Patrice s'est installé ici.
Jeanne s'est mariée ici.

C'est ici que Jacques a vécu?
Oui, c'est ici, ce n'est pas ailleurs.
C'est Jacques qui a vécu ici?
Oui, c'est bien lui, ce n'est pas un autre.

f
> Le soleil se lève. (voir)
La nuit tombe. (voir)
Les participants chantent. (entendre)

Nous voyons le soleil se lever.
Nous voyons se lever le soleil.
Nous le voyons se lever.

25 **Mettez ensemble les verbes et les noms correspondants :**

Verbes : finir, arriver, venir, entrer, sortir, descendre, répondre, partir, monter.
Noms : le départ, l'entrée, la venue, la réponse, l'arrivée, la fin, la sortie, la descente, la montée.

Finir, la fin.

26 **Placez chacune des phrases suivantes dans une situation que vous imaginerez :**

Si vous étiez venu à Orléans, vous auriez assisté à un très beau festival.
Si vous étiez venu pique-niquer, vous auriez pu aussi cueillir de belles fleurs.

71

La vie en images

1

2

1 **En 2 chevaux.**
   Combien de personnes contient d'habitude une 2 CV? Combien y en a-t-il ici?
   Pourquoi, sauf le conducteur, sont-elles debout?

2 **Sur le campus.**
   Est-ce qu'il s'agit ici d'une université nouvelle?
   Où est placée celle-ci : à la ville ou à la campagne?

3 **Musique pop.**
   Quel est l'instrument de musique préféré de la jeunesse?
   Comment les personnages sont-ils coiffés, habillés?

4 **Manifestation pour la paix.**
   Les lettres P, A, I, X, sont portées par des filles : pourquoi?

3

4

Le campus de Berkeley

Pierre-Louis   Vous revenez d'Amérique, Jean-Jacques?

Jean-Jacques   Oui, de Californie.

Pierre-Louis   Quelle ville vous a paru la plus belle?

Jean-Jacques   San Francisco, qui est situé sur une baie magnifique.

Pierre-Louis   Vous avez traversé le Golden Gate?

Jean-Jacques   J'ai même vu la prison d'Alcatraz où le célèbre gangster Al Capone a passé plusieurs années.

Pierre-Louis   L'université de Berkeley est-elle loin de San Francisco?

Jean-Jacques   C'est à une heure de voiture. Les bâtiments sont immenses. Et tout autour, quel campus!

Pierre-Louis   On dit que les étudiants de Berkeley sont des hippies.

Jean-Jacques   Oh! pas tous! Il y a beaucoup d'étudiants sérieux; mais j'ai vu aussi des hippies. Ils portent des cheveux longs et ont remplacé le pantalon par le blue-jean. On dit qu'ils sont bizarres, mais ils sont surtout très gentils, très doux. Ils adorent les fleurs et la musique. On a plaisir à les entendre chanter.

Pierre-Louis   Ils détestent la guerre, n'est-ce pas?

Jean-Jacques   Certains refusent même de faire leur service militaire.

Pierre-Louis   Là, ils ont tort.

Jean-Jacques   Pourquoi? Si on n'avait jamais accepté de porter les armes, les guerres n'auraient pas pu avoir lieu et le monde aurait toujours vécu en paix.

Pierre-Louis   C'est un rêve!

Jean-Jacques   Les rêves sont la meilleure partie de la vie.

La pêche

1 *M. Roche*   Alors, la pêche a été bonne?

2 *Le pêcheur* Pensez-vous : avec ce mauvais temps!
Notre bateau a été rudement secoué.

3 *M. Roche*   Vous avez été pris par l'orage?
4 *Le pêcheur* Oui, vers 3 heures, il y a eu des éclairs,
du tonnerre et un vent terrible.

5 *M. Roche*   Ici aussi, il a fait très mauvais temps.
Je me promenais : j'ai dû me réfugier
dans une grange : c'est là que j'ai
attendu la fin de l'orage.

74

une pêche — un fruit

à traction:

5° Scénon ari sans ça
conditionnel passé

6 Le pêcheur Nous avons été très gênés par les grosses vagues. On a dû tirer les filets et rentrer bien vite au port. Sans ça on aurait pu couler.

7 M. Roche C'est un dur métier, hein, d'être pêcheur?

gêner   la marée haute
déranger   la marée basse.
perturber

vague — imprécis ou flou(e)
la marée haute et basse
une huître
crû.
la viande bleue, saignante
à point

8 Le pêcheur Oh! oui et pourtant je suis marin depuis l'âge de quatorze ans. Et le premier bateau sur lequel je suis monté n'était pas grand. C'était un bateau à voiles.

9 M. Roche A cette époque-là, le mazout ne salissait pas la mer.

10 Le pêcheur Ah! oui, monsieur, aujourd'hui, tout est sale, le ciel, la mer, la campagne.

11 M. Roche Autrefois, l'eau était plus propre...

12 Le pêcheur ... et le poisson était meilleur...

13 M. Roche ... et il était vendu moins cher.

14 Le pêcheur C'était le bon temps, monsieur : vous et moi, nous étions jeunes.

Tableaux structuraux

1

Notre bateau		pris		l'orage
		secoué		les vagues
Le pêcheur	a été	gêné	par	
Le filet		tiré		le pêcheur
Le bateau		ramené		
La mer		salie		le mazout

2

L'accident		causé		Sophie
		donnée		l'agent
La contravention		payée		Marco
	a été		par	
La condamnation		donnée		le tribunal
La sentence		lue		le juge
La voiture		réparée		le garagiste

3

On a dû	tirer les filets	et	rentrer au port
	freiner très fort		aller vers la gauche
	aller à l'hôpital		se faire vacciner
	chercher une place		garer la voiture
	rouler très vite		ne pas s'arrêter
	rester avec les gendarmes		montrer les papiers

Sans ça,	on aurait pu	couler
		avoir un accident
		mourir
		avoir une contravention
		arriver en retard
		être arrêtés

4

	le bateau	sur lequel	j'ai fait le tour du monde
	le cheval		j'ai gagné le grand prix
	la voiture	avec laquelle	nous avons gagné la course
Voilà	l'équipe		vous avez joué
	les quartiers	dans lesquels	j'ai grandi
	les endroits		elle a vécu
	les routes	par lesquelles	nous sommes venues
	les villes		nous sommes passés

5

Le jugement Le meeting	auquel	il doit assister	aura lieu demain
La grève La manifestation	à laquelle	j'ai participé	a eu lieu hier
Les spectacles Les festivals	auxquels	nous assisterons	auront lieu en août
Les fêtes Les réunions	auxquelles	nous sommes invités	ont été retardées

6

Quel	orage terrible voyage agréable	!
Quelle	soirée inoubliable époque intéressante	
Quels	beaux musées moments heureux	
Quelles	vacances agréables belles nuits	

C'est	un orage un voyage	dont (duquel)	tu te souviendras
	une soirée une époque	dont (de laquelle)	
Ce sont	des musées des moments	dont (desquels)	
	des vacances des nuits	dont (desquelles)	

7

Que faire	?
Où aller	
Comment savoir	
Comment pouvoir sortir	

Que	voulez-vous	que	je fasse nous fassions	?
Où			j'aille nous allions	
Comment			je sache nous sachions	
			je puisse sortir nous puissions sortir	

8

Ira-t-il à la pêche	?
Fera-t-il beau demain	
Pourra-t-il venir	
Voudront-ils m'aider	
Sauront-ils leur répondre	
Feront-ils ce travail	
Saurons-nous jouer	
Pourrons-nous nous garer	
Irons-nous à Orléans	
Voudrez-vous chanter	
Ferez-vous ce voyage	
Pourrez-vous sortir	

J'ai peur	qu'	il	(n')	aille	pas	à la pêche
				fasse		beau demain
				puisse		venir
		ils		veuillent		m'aider
				sachent		leur répondre
				fassent		ce travail
	que	nous	ne	sachions		jouer
				puissions		nous garer
			(n')	allions		à Orléans
		vous		vouliez		chanter
				fassiez		ce voyage
				puissiez		sortir

Grammaire

A Post particle always agrees with s.by.

LE PASSIF

Les vagues secouent le bateau.
= Le bateau **est secoué par** les vagues.

Les vagues ont secoué le bateau.
= Le bateau **a été secoué par** les vagues.

Le passif d'un verbe se forme au moyen du verbe **être** et du participe du verbe en question (**secoué**). Le complément qui exprime l'agent (l'auteur) de l'action est introduit par la préposition **par.**

LE PRONOM RELATIF COMPLÉMENT INDIRECT

Voilà le camarade **avec qui (avec lequel)** j'ai voyagé.
Voilà le bateau **sur lequel** j'ai voyagé.

Voilà le livre **auquel** je tiens le plus.
Voilà les livres **auxquels** je tiens le plus.

Voilà la peinture **à laquelle** je tiens le plus.
Voilà les peintures **auxquelles** je tiens le plus.

Remarquez qu'en règle générale, si le pronom relatif indirect représente des personnes, on emploie **qui** ou **lequel.** S'il représente des choses, on emploie **lequel.**

N. B. : Au lieu de : **du**quel, **des**quels, de **la**quelle, **des**quelles, dites : **dont** :
Voilà un voyage **dont** je me souviendrai. (Voir leçon 11.)

SUBJONCTIF

faire

que je fasse
que tu fasses
qu'il fasse
que nous **fassions**
que vous **fassiez**
qu'ils fassent

savoir

que je sache
que tu saches
qu'il sache
que nous **sachions**
que vous **sachiez**
qu'ils sachent

vouloir

que je **veuille**
que tu veuilles
qu'il veuille
que nous **voulions**
que vous **vouliez**
qu'ils veuillent

pouvoir

que je puisse
que tu puisses
qu'il puisse
que nous **puissions**
que vous **puissiez**
qu'ils puissent

aller

que j'**aille**
que tu ailles
qu'il aille
que nous **allions**
que vous **alliez**
qu'ils aillent

falloir

qu'il faille

		Exemples
27	**A partir de l'exemple, construisez des phrases semblables avec les éléments donnés :**	
a	Je suis monté sur ce bateau. J'ai dormi dans ce village. Nous avons voyagé avec ces personnes. Ils sont venus par cette route. Je me suis coupé avec ce couteau. Elle a voyagé sur ce train. Ils se sont réfugiés dans cette grange.	*Voilà le bateau sur lequel je suis monté.*
b	Je dois assister à une réunion qui commencera dans 10 minutes. J'ai participé à une manifestation qui a eu lieu hier. Elle a assisté à un festival qui lui a beaucoup plu. Nous répondons à des questions qui ont été posées hier. Nous avons été invités à des spectacles qui auront lieu en juillet.	*La réunion à laquelle je dois assister commencera dans 10 minutes.*
c	Tu as parlé à un pêcheur que je connais. Elle a parlé à des personnes que nous connaissons. Je me suis adressé à une vendeuse que tu connais. Ils ont parlé à des gendarmes que vous connaissez.	*Je connais le pêcheur à qui (auquel) tu as parlé.*
d	Les vagues ont secoué le bateau. Le mazout a sali la mer. Sophie a cueilli des fleurs. Marco a loué un pavillon. Le médecin a vacciné le bébé. Le tribunal a condamné Sophie. Sophie a causé un accident.	*Le bateau a été secoué par les vagues.*
e	Je fais mon lit. Tu fais ton exercice. Nous faisons notre travail. Vous faites vos valises. Où va-t-il? Où vas-tu? Où allez-vous? Où vont-ils? Je ne sais pas. Il ne sait pas. Nous ne savons pas. Ils ne savent pas. Tu sortiras? Il sortira? Nous sortirons? Ils sortiront? Voudrai-je? Voudras-tu? Voudrons-nous? Voudrez-vous?	*Il faut que je fasse mon lit.* *Où veux-tu qu'il aille?* *Comment voulez-vous que je sache?* *Je ne pense pas que je puisse sortir.* *Il faut que je veuille.*
28	**Placez chacune des phrases suivantes dans une situation que vous imaginerez :** On a dû freiner très fort et aller vers la gauche. Il y a eu des éclairs, du tonnerre et un vent terrible.	

La vie en images

1

2

3

4

1 Pêcheur.

Comment est habillé le pêcheur?

A quoi servent les machines qui sont devant lui?

2 La pêche.

Avec quoi les poissons ont-ils été pêchés? Pourquoi certains pêcheurs ont-ils des gants?

Que font les deux hommes au bas de la photo?

3 Débarquement du poisson.

Que fait l'homme qui est dans le bateau?

Que font les hommes qui sont le quai? Pourquoi l'un d'entre eux est-il assis?

4 Vente à la criée.

Que font les deux jeunes gens qu'on voit de face?

Où se trouvent les acheteurs?

Qu'indiquent les chiffres placés à l'entrée de la salle?

5

6

7

5 Bateau à voiles.
Combien de voiles y a-t-il sur ce bateau?
La mer paraît-elle très agitée?

6 Pêche à la ligne.
Quel âge peuvent avoir ces deux pêcheurs?
Que font les personnages placés derrière eux?

7 Plongeurs.
Comment sont habillés les deux plongeurs?
Qu'est-ce que celui de gauche porte sur son dos? A quelle profondeur peut-il descendre?

8 Pêche sous-marine.
Qu'est-ce que le pêcheur porte sur le visage?
Qu'a-t-il dans la bouche? Que porte-t-il aux pieds? Qu'observe-t-il?

8

La chasse

1	Patrice	Vous êtes chasseur, monsieur Roche?
2	M. Roche	J'ai chassé autrefois. J'ai cessé à l'âge de 45 ans. C'était trop dangereux : je n'y voyais plus très bien.

3	Patrice	Vous n'avez quand même jamais tiré sur votre chien?
4	M. Roche	Non, mais une fois sur un mouton, et la pauvre bête a été blessée.

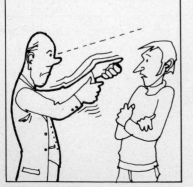

5	Patrice	C'est en plaine ou en forêt que vous chassiez?
6	M. Roche	En plaine : dans la Beauce ou dans la Brie. Et vous-même, quelles régions préférez-vous?
7	Patrice	Les mêmes que vous. Mais j'aime bien aussi la Sologne.
8	M. Roche	Il y a trop d'arbres : on ne voit pas passer le gibier.
9	Patrice	Oh! mais si on a de bons chiens, sur lesquels on peut compter, la chasse n'est pas plus difficile qu'ailleurs. Le paysan, dont le mouton a été blessé par vous, qu'a-t-il dit?

10 M. Roche   Il n'était pas content du tout, et sa fille était très malheureuse.
Elle aimait beaucoup ce pauvre animal.
Moi, j'étais vraiment désolé.

11 Patrice   La même histoire est arrivée à mon père : il a tué deux poules, un jour, dans un champ.

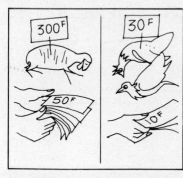

12 M. Roche   Et ensuite, qu'est-ce qu'il a fait?
13 Patrice   La même chose que vous sans doute : il a payé les deux bêtes au paysan.

Et nous avons mangé du poulet pendant trois jours...

Tableaux structuraux

1

Il a pris	le même	autobus / train / avion	que	nous
J'ai écouté	la même	musique / chanson / histoire	qu'	elle
Tu aimes	les mêmes	spectacles / endroits / réunions	qu'	eux

Nous	avons pris	le même	que	lui
Elle	a écouté	la même	que	moi
Ils	aiment	les mêmes	que	toi

2

Et	vous-même	,	quelles	plaines / forêts / époques	préférez-vous	
	toi-même	,	quel	gibier / chien / poisson	préfères-tu	?
	eux-mêmes	,	quelle	chasse / pêche / bête	préfèrent-ils	

Les mêmes		vous
Le même	que	toi
La même		nous

3

Fais mon travail / Dis mon âge / Écris mon nom / Porte mon sac	Fais / Dis / Écris / Porte		toi-même	Qu'il	(l')		fasse / dise / écrive / porte	lui-même	
		-le				le			!
Faites notre travail / Dites notre âge / Écrivez notre nom / Portez notre sac	Faites / Dites / Écrivez / Portez		vous-mêmes	Qu'ils	(l')		fassent / disent / écrivent / portent	eux-mêmes	

4

	me	dire votre adresse / lire la sentence / prêter le journal		moi-même		la dire / la lire / le prêter
N'oubliez pas de	leur	dire la vérité / porter les billets / ouvrir la porte	C'est à	eux-mêmes	que vous devez	la dire / les porter / l'ouvrir
	nous	laisser les clés / rendre la monnaie / expliquer le travail		nous-mêmes		les laisser / la rendre / l'expliquer

5

Vous	n'	avez	quand même	jamais	tiré sur votre chien / tué quelqu'un / blessé personne	?
		êtes		pas	mort de	peur / froid / faim / soif

6

La même	histoire / chose / surprise / affaire	est arrivée	à mon père
Le même	accident / ennui / malheur	est arrivé	

7

Quel / Quelle	est	le bateau / le livre / la machine / la maladie	dont	tu connais le patron / on va faire un film / vous vous servirez / il est mort	?
Quels / Quelles	sont	les papiers / les joueurs / les affaires / les occasions		vous avez besoin / il parle / nous avons besoin / on peut profiter	

8

C'est	le paysan / le monsieur / la paysanne / la personne	dont (de qui)	j'ai blessé le mouton / j'ai loué l'appartement / j'ai tué la poule / j'ai fait la photo
Ce sont	les pêcheurs / les chasseurs / les personnes / les mamans		j'ai acheté le poisson / j'ai acheté le gibier / j'ai fait les robes / j'ai vacciné les bébés

9

Le paysan	dont	le mouton	blessé	a été	par vous	,	qu'	a-t-il	dit	?
Le monsieur		l'appartement	loué							
La paysanne		la poule	tuée					a-t-elle		
La personne		la photo	faite							
Les pêcheurs		le poisson	acheté					ont-ils		
Les chasseurs		le gibier	acheté							
Les personnes		les robes	faites	ont été				ont-elles		
Les mamans		les bébés	vaccinés							

Grammaire

« MOI-MÊME », « LE MÊME QUE »

— Fais mon lit !
— Non, fais le **toi-même** !

Pour dire **c'est moi** (et non un autre) qui fais cela, on dit **moi-même** (**toi-même, vous-mêmes, lui-même, elle-même, nous-mêmes, vous-mêmes, eux-mêmes, elles-mêmes**).

— Quelle auto avez-vous ?
— **La même que** vous : une Renault.

Pour marquer la ressemblance exacte (l'identité), on emploie **le même** (que), (**la même, les mêmes**).

« DONT »

Mon **fils** m'écrit ; sa santé est meilleure.
Voilà une lettre de mon **fils, dont** la santé est meilleure.

Pensez à cette **affaire** ; je vous **en** ai parlé hier.
Pensez à cette **affaire, dont** je vous ai parlé hier.

J'ai eu des **difficultés,** mais j'**en** suis sorti.
J'ai eu des **difficultés, dont** je suis sorti.

Je vous apporte mon **travail** ; j'**en** suis content.
Je vous apporte mon **travail, dont** je suis content.

dont = *de* **qui** ou *du***quel,** *de* **laquelle,** *des***quels,** *des***quelles.**

L'INFINITIF

Les bateaux passent ; on les **voit.** (Voir leçon 9).
On **voit** les bateaux **passer.**
On **voit passer** les bateaux.
On **les voit passer.**

De même, pour **laisser** :

Je **laisse** les bateaux **passer.**
Je **laisse passer** les bateaux.
Je **les laisse passer.**

(Mais pour *faire,* voir leçon 24.)

86

		Exemples
29	**A partir de l'exemple, construisez des phrases semblables avec les éléments donnés :**	
a	J'ai soigné le foie de ce malade. Nous avons loué la maison de cette dame. Il a installé la salle de bains de ce monsieur. J'ai construit la maison de ces personnes.	*C'est le malade dont j'ai soigné le foie.*
b	Il a parlé de cette affaire. Ils ont parlé de ces problèmes. Elle a parlé de ces difficultés. Nous avons parlé de ces questions.	*C'est l'affaire dont il a parlé.*
c	Je me souviendrai de ce voyage. Il se souviendra de cette histoire. Vous vous souviendrez de cet accident. Elle se souviendra de cet orage.	*Voilà un voyage dont je me souviendrai.*
d	Il est content de ce travail. Elle est responsable de cet accident. Je suis responsable de ce barrage. Nous sommes mécontents de notre salaire.	*C'est un travail dont il est content.*
e	Les bateaux passent : on les voit. L'horloge sonne : on l'entend. Les enfants toussent : on les entend. Le gibier passe : on le voit.	*On voit les bateaux passer.* *On voit passer les bateaux.* *On les voit passer.*
f	Vous avez eu des ennuis, mon père aussi. J'ai eu des difficultés, vous aussi. Elle a parlé de ces questions, lui aussi. Ils ont étudié ces problèmes, nous aussi.	*Mon père a eu les mêmes ennuis que vous.*
g	Le vin de Bourgogne. La peinture de Picasso. Les romans de Victor Hugo. Les chansons de Brassens.	*Quel vin préfères-tu?* *Le même que toi, celui de Bourgogne.*
h	Je ne chasse plus depuis un an. Nous ne fumons plus depuis six mois. Il ne boit plus d'alcool depuis un an. Il ne joue plus au tennis depuis six mois.	*J'ai cessé moi-même de chasser il y a un an.*
30	**Imaginez le dialogue entre :** Monsieur Roche et le paysan dont il a blessé le mouton. Le père de Patrice et le paysan dont il a tué les poules.	

La vie en images

1 Éléphant.
Où se situe la scène?
De quelle couleur et en quoi sont les défenses de l'éléphant?

2 Girafes.
Dans quels pays vivent les girafes?
Quelle est leur taille moyenne?

3 Lions.
Combien d'animaux y a-t-il sur la photo?
Quel est le nom de la femelle du lion? De ses petits?

4 Chasse en plaine.
Comment les chasseurs portent-ils leur fusil?
Qu'est-ce qu'ils chassent : lièvres, faisans, perdreaux?

5 Chasse à courre.
Quel est le nom de l'animal qui est chassé?
Que font les chiens?
Qu'est-ce que l'homme à cheval porte autour de l'épaule?

3

4

5

Un safari

M. Dampierre   Alors on vous attend, votre femme et vous, pour le prochain week-end, à Fontainebleau?

M. Garnier   Impossible, cher ami. Samedi matin, nous prenons l'avion pour l'Afrique. Nous sommes invités à un safari.

Mme Dampierre   Que dites-vous? Vous voulez tuer de pauvres bêtes dont les espèces sont de plus en plus rares : des éléphants, des lions, des girafes peut-être! On devrait interdire ces massacres.

M. Garnier   Ne vous fâchez pas. Colette. Il s'agit d'un safari-photo.

Mme Dampierre   Ah! j'aime mieux ça!

Mme Garnier   Oui, un cousin de mon mari, qui tient plusieurs agences de voyages, nous a téléphoné l'autre soir. On venait de lui rendre deux places dans un « charter » pour le Congo et c'est lui-même qui a voulu nous les offrir.

M. Dampierre   Vous avez un bon appareil photo?

M. Garnier   Oui, un appareil japonais : un Toki-Toko.

M. Dampierre   J'ai le même que vous. Il marche très bien. Mais une caméra, ç'aurait été encore mieux.

M. Garnier   Mon beau-frère va nous prêter la sienne. Je vais faire quelques films en couleurs. A notre retour, vous viendrez les voir à la maison.

M. Dampierre   Merci d'avance, et joyeux safari! Attention pourtant à ne pas photographier un tigre de trop près : il pourrait vous mordre.

M. Garnier   N'ayez pas peur, il n'y a pas de tigres en Afrique.

La bibliothèque des Boni

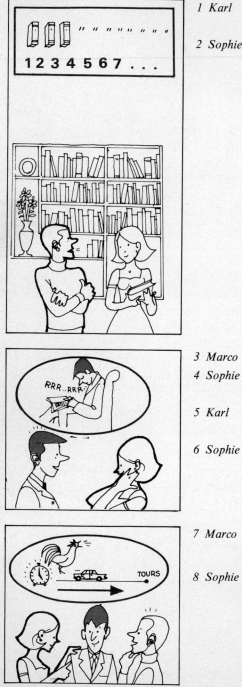

1 Karl   Vous en avez des livres! littérature, histoire, sciences, art...

2 Sophie   La poésie et les romans, c'est surtout pour moi.

3 Marco   Les romans, j'en lis aussi.

4 Sophie   Oh! hier soir, tu t'es endormi sur *L'Étranger.*

5 Karl   Sur *L'Étranger* de Camus! Pas possible?

6 Sophie   Mais si, Karl : à la dixième page, Marco dormait.

7 Marco   Il faut dire que j'avais eu une journée fatigante.

8 Sophie   C'est vrai, ne le blâmons pas : il s'était levé dès cinq heures du matin, pour aller à Tours.

9 *Karl*

Il y est resté toute la journée et n'en est revenu qu'à neuf heures du soir. Moi, j'aime les récits de voyage, les livres de géographie, et surtout ceux d'histoire naturelle.

10 *Sophie*

En voilà un dont tu connais sûrement l'auteur.

11 *Karl*

Oui, c'est un naturaliste célèbre... Mais il est en allemand, ton livre; et l'allemand, tu ne le comprends pas.

12 *Sophie*

Tu as tort : une journaliste doit savoir plusieurs langues. Je sais l'anglais et j'étudie l'italien avec Marco; pour l'allemand, on verra plus tard.

Tableaux structuraux

1

	Il avait			et il s'était	
Il s'est endormi à 9 heures		eu	une journée fatigante		levé tôt
Il est rentré tard		fait	un long voyage		arrêté pour dîner
Il est sorti content du théâtre		vu	un beau spectacle		bien amusé
Il n'est pas allé travailler		eu	un accident la veille		blessé gravement
Il n'était pas venu à la fête		chassé	toute la matinée		couché tôt
Il s'est levé tard		passé	une mauvaise nuit		réveillé plusieurs fois

2

		il y était			et n'en était		
A Tours			resté	toute la journée	revenu	qu'	à 9 h
			entré	à 7 heures	ressorti		à 10 h
En Normandie	,		allé	en juillet	rentré		en automne
			arrivé	la veille de la fête	reparti		le lendemain
En montagne			parti	en octobre	retourné	que	le 1er janvier
			monté	le matin	redescendu		le soir

(la veille de la fête — parti en octobre — monté le matin ; retourné le 1er janvier)

3

Je ne connais pas		En voilà	un	dont	tu connais	
	l'auteur de ce poème					l'auteur
	le réalisateur de ce film					le réalisateur
	le compositeur de cet opéra					le compositeur
	les danseurs de ce ballet					les danseurs
	les journalistes de ce journal					les journalistes
	les acteurs de cette pièce		une			les acteurs

4

Vous	en	avez de la chance / connaissez des gens / savez des chansons	!	Nous	?	Oui,	nous	en	avons / connaissons / savons	beaucoup
Ils	en	voient des films / lisent des revues / écoutent des disques	!	Eux	?	Oui,	ils	en	voient / lisent / écoutent	beaucoup
Tu		prends des photos / achètes des livres / racontes des histoires		Moi			j'		prends / achète / raconte	

92

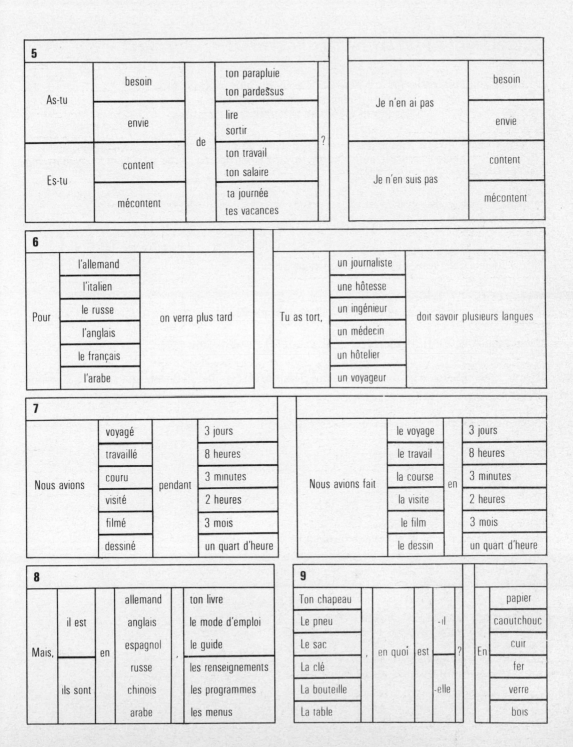

5

As-tu	besoin	de	ton parapluie	
			ton pardessus	
	envie		lire	
			sortir	?
Es-tu	content		ton travail	
			ton salaire	
	mécontent		ta journée	
			tes vacances	

Je n'en ai pas	besoin
	envie
Je n'en suis pas	content
	mécontent

6

Pour	l'allemand	on verra plus tard
	l'italien	
	le russe	
	l'anglais	
	le français	
	l'arabe	

Tu as tort,	un journaliste	doit savoir plusieurs langues
	une hôtesse	
	un ingénieur	
	un médecin	
	un hôtelier	
	un voyageur	

7

Nous avions	voyagé	pendant	3 jours
	travaillé		8 heures
	couru		3 minutes
	visité		2 heures
	filmé		3 mois
	dessiné		un quart d'heure

Nous avions fait	le voyage	en	3 jours
	le travail		8 heures
	la course		3 minutes
	la visite		2 heures
	le film		3 mois
	le dessin		un quart d'heure

8

Mais,	il est	en	allemand	,	ton livre
			anglais		le mode d'emploi
			espagnol		le guide
	ils sont		russe		les renseignements
			chinois		les programmes
			arabe		les menus

9

Ton chapeau			-il		En	papier
Le pneu						caoutchouc
Le sac	en quoi	est		?		cuir
La clé						fer
La bouteille			-elle			verre
La table						bois

Grammaire

LE PLUS-QUE-PARFAIT DE L'INDICATIF

Hier, je me suis endormi à 9 heures : j'**avais eu** une journée fatigante.
(Ma journée **avait été** fatigante.)
(Je **m'étais levé** à 5 heures du matin.)

Pour exprimer qu'une action passée a eu lieu avant une autre également passée, on emploie le plus-que-parfait de l'indicatif qui se forme avec l'imparfait du verbe auxiliaire et le participe passé (**eu, levé**) du verbe en question.

J'**avais** eu; tu **avais** eu; il **avait** eu.
Nous **avions** eu; vous **aviez** eu; ils **avaient** eu.

J'**avais** été; tu **avais** été; il **avait** été.
Nous **avions** été; vous **aviez** été; ils **avaient** été.

J'**étais** parti; tu **étais** parti; il **était** parti.
Nous **étions** partis; vous **étiez** partis; ils **étaient** partis.

Je m'**étais** levé(e); tu t'**étais** levé(e); il s'**était** levé; elle s'**était** levée;

Nous nous **étions** levé(e)s; vous vous **étiez** levé(e)s; ils s'**étaient** levés; elles s'**étaient** levées.

N. B. : Comme pour le passé composé, l'auxiliaire est **être** ou **avoir** suivant le cas.

« Y, EN »

Tu vas **à** Paris? J'**y** vais aussi.
Tu reviens **de** Paris? J'**en** reviens aussi.

Y et **en** sont des adverbes de lieu. **Y** exprime la présence dans un lieu. **En** exprime la sortie d'un lieu.

Tu vois mes livres : j'**en** ai beaucoup.
Ceux-ci sont **en** allemand; ceux-là **en** italien.
La clé est **en** fer.
J'ai fait le voyage **en** trois jours.
En automne, mon frère sera **en** France.

Dans la première phrase, **en** est un pronom personnel.
Dans les autres phrases, **en** est une préposition avec divers sens.

		Exemples
31	**A partir de l'exemple, construisez des phrases semblables avec les éléments donnés :**	
a	J'arrive à la gare, le train est parti. Nous partons à la chasse, le jour est levé. Elles rentrent à la maison, la nuit est tombée. Je vais voir le patron, il est sorti.	*Quand je suis arrivé à la gare, le train était parti depuis 5 minutes.*
b	Monsieur Roche doit payer le mouton; il l'a blessé. Sophie lit un roman; elle l'a acheté le matin même. Ils emménagent dans un pavillon; ils l'ont loué la veille. Nous finissons un travail; nous l'avons commencé hier.	*Monsieur Roche a dû payer le mouton qu'il avait blessé.*
c	Il s'est fait couper les cheveux, je ne le reconnais pas. J'ai habité 15 ans à Paris, je connais bien la ville. Nous avons fait une longue promenade en forêt, nous sommes fatigués. Elle est tombée, elle pleure.	*C'est parce qu'il s'était fait couper les cheveux que je ne le reconnaissais pas.*
d	Il a fait un bon repas et il a vu un bon film : il est content. Elle a fait une promenade et elle a visité un château : elle est fatiguée. Il s'est levé tôt et il n'a rien mangé : il a faim. Il s'est réveillé plusieurs fois et il a toussé toute la nuit : il reste au lit.	*Il était content parce qu'il avait fait un bon repas et qu'il avait vu un bon film.*
e	Je ne connais pas l'auteur de ce roman. Nous ne connaissons pas les joueurs de cette équipe. Ils ne connaissent pas les parents de cet enfant.	*En voilà un autre dont tu connais sans doute l'auteur.*
f	Tu vas à Paris? Tu ne sors pas du bureau? Tu entres à l'usine? Tu sors du tribunal? Tu ne montes pas au grenier? Tu descends à la cave?	*J'y vais aussi. Je n'en sors pas non plus.*
32	**Placez chacune des phrases suivantes dans une situation que vous imaginerez :** Nous avons fait la visite en 2 heures. Tu as déjà fini de lire le roman que tu as acheté hier? Moi, je n'aime pas la poésie, ça m'endort.	

La vie en images

1

2

3

4

1 **A la Bibliothèque nationale.**
Quelles remarques peut-on faire sur l'architecture de la salle?
Comment sont installés les lecteurs? Que doivent-ils faire pour emprunter un livre?

2 **Albert Camus en 1951.**
Comment est habillé l'écrivain?
Quand est mort Albert Camus? Dans quelles circonstances?

3 **Un livre broché.**
Votre livre est-il broché ou relié?
Qu'est-ce qui montre que la couverture du livre est souple?

4 **Un livre relié.**
Quels sont les avantages d'un livre relié?
Les mains qu'on voit sur la photo sont-elles celles d'un homme ou d'une femme?

L'Étranger[1]

Le personnage principal de *L'Étranger* est employé de bureau à Alger. Il vit simplement, mais ce n'est pas un homme comme les autres : sa mère meurt et il ne pleure pas; une jeune fille l'aime et il ne veut pas l'épouser; son patron lui offre une meilleure situation à Paris et il refuse d'y aller.

C'est un dimanche que le malheur est entré dans sa vie. Il était descendu sur la plage et y avait rencontré un homme qu'il ne connaissait même pas, mais dont il avait eu peur. Alors, il avait tiré sur lui cinq balles de revolver.

Devant le tribunal, il dit la vérité, mais les juges ne le croient pas. Ils sont sévères pour lui parce qu'il n'a pas pleuré à l'enterrement de sa mère, et ils le condamnent à mort.

Après sa condamnation, il a soudain une grande envie de vivre. Mais il est trop tard et il sera guillotiné.

C'était un « étranger » dans la société; il ne pouvait y rester plus longtemps.

1. Voir texte page 235.

Histoire de skieurs

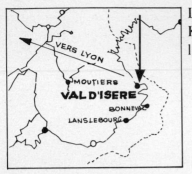

Les Boni sont allés à Val d'Isère avec Patrice et Karl, pour faire du ski. Tout s'est bien passé, sauf la fois où Patrice leur donna un peu d'inquiétude.

Il avait quitté ses amis après le déjeuner en leur expliquant : « Je vais faire un peu de descente : il faut bien que je m'exerce tout seul. »
Jusqu'à six heures, tout marcha bien pour lui. La neige était épaisse et douce; Patrice filait sur ses skis.

Mais en faisant sa dernière descente, il s'égara, impossible de retrouver la route de l'hôtel : il faisait déjà trop nuit.

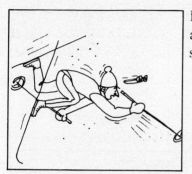

Patrice sentait la peur le saisir : c'était sa première année de ski. Par malheur, voilà qu'il croisa ses skis et tomba.

Il aurait eu du mal à se relever si une skieuse n'avait passé par là; il l'appela et elle, en lui tendant la main, l'aida à se remettre debout. Puis elle lui indiqua sa route.

Patrice ne rentra à l'hôtel qu'à neuf heures. Tout le monde avait fini de dîner et ses amis étaient déjà inquiets.

Quand il leur raconta son histoire, Sophie lui demanda : « Elle était jolie ta skieuse? — Elle était grande et mince, il me semble. — Peut-être que tu la retrouveras un jour! »

Tableaux structuraux

1

Tout	s'est bien / a bien	passé / marché	.	sauf la fois où	il	ne rentra qu'à 9 heures / s'égara / tomba / blessa un mouton / se réfugia dans une grange
						le bateau coula

2

| Il avait quitté | ses amis / sa femme | en | leur / lui | expliquant / disant / montrant / indiquant / racontant | ce qu'il | allait / pensait / comptait / voulait / devait | faire |

3

| Il aurait eu du mal à | se relever / se garer / s'en tirer / déménager / comprendre / se réveiller | si | une skieuse / un automobiliste / les amis / les camarades / le professeur / le réveil | n' (ne) | avait passé par là / était parti à ce moment-là / avaient poussé sa voiture / l'avaient aidé / avait expliqué plusieurs fois / avait sonné |

4

| Ils | crièrent « Bonjour » / travaillèrent / écoutèrent la radio / racontèrent leur histoire / stationnèrent / se promenèrent | en | entrant / chantant / étudiant / mangeant / reculant / fumant | . |

| Ils | entrèrent / chantèrent / étudièrent / mangèrent / reculèrent / fumèrent | en | criant « Bonjour » / travaillant / écoutant la radio / racontant leur histoire / stationnant / se promenant |

13

5

Quand on est	seul / nombreux / gentil / imprudent / sportif / bavard	, on	travaille mieux / s'amuse mieux / se fait des amis / cause des accidents / reste jeune / gêne les autres
On	travaille mieux / s'amuse mieux / se fait des amis / cause des accidents / reste jeune / gêne les autres	en étant	seul / nombreux / gentil / imprudent / sportif / bavard

6

Si j'avais	de l'argent / faim / soif / mes lunettes / le temps / un billet	, je pourrais	sortir / manger / boire / lire / attendre / entrer
N'ayant pas	d'argent / faim / soif / mes lunettes / le temps / de billet	, je ne peux pas	sortir / manger / boire / lire / attendre / entrer

7

Il faudrait qu'	il / elle	commence son travail / aille à l'hôpital / puisse conduire / veuille partir / reçoive les invités / fasse le voyage	tout seul / toute seule

8

En	attendant / sortant / mangeant / partant / conduisant / entrant	,	lisez le journal / mettez votre chapeau / buvez de l'eau / fermez la porte / faites attention / donnez votre nom

9

En faisant	du ski / sa dernière descente / un match de rugby / une course automobile / une marche arrière / une course	,	il se cassa la jambe / il s'égara / il se blessa / il se tua / il monta sur le trottoir / il tomba

Grammaire

LE PASSÉ SIMPLE

Ce matin, un orage *a éclaté* pendant que je déjeunais.
En **1756,** la guerre **éclata** entre la France et la Prusse.

Hier, mon fils *a blessé* accidentellement un de ses camarades.
Le **30 juin 1559,** Montgomery **blessa** accidentellement le roi de France Henri II.

Les verbes **éclata, blessa** sont au passé simple de l'indicatif. Cette forme exprime une action passée, dans un récit du français écrit. Le passé composé (**a éclaté, a blessé**) est la forme du passé dans la conversation.

LES FORMES DU PASSÉ SIMPLE

Verbes en **-er**
Les formes les plus employées aujourd'hui sont celles de la troisième personne.

tomber

1 je tomb**ai**	*(forme rare)*
2 tu tomb**as**	*(forme rare)*
3 **il tomba**	
1 nous tomb**âmes**	*(forme très rare)*
2 vous tomb**âtes**	*(forme très rare)*
3 **ils tombèrent**	

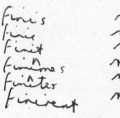

LE GÉRONDIF

Il entre, et, **en même temps,** il crie : « Bonjour ! »
= Il entre **en criant** : « Bonjour ! »

je parle :
nous **parlons** ──────→ en **parlant**

je finis :
nous **finissons** ──────→ en **finissant**

j'écris :
nous **écrivons** ──────→ en **écrivant**

je viens :
nous **venons** ──────→ en **venant**

N. B. : On dit : **en étant, en ayant, en sachant ;**
(verbes **être, avoir, savoir**).

« VOILÀ »

Il filait sur la neige ; **soudain il croisa** ses skis.
= Il filait sur la neige ; **voilà qu'**il croisa ses skis.
N. B. : On dit : voilà **un livre,** me voilà, **te** voilà, **le** voilà, **la** voilà, **les** voilà.

Exercices oraux ou écrits

[handwritten notes: a b d gerondif + phrases gerondif → Simultanéité → Cause → Condition   Participe présent.]

13

		Exemples
33	**A partir de l'exemple, construisez des phrases semblables avec les éléments donnés :**	
a	Éliane est fatiguée, elle restera au lit. Willem est blessé, il restera dix jours à l'hôpital. Mon fils est malade, il n'ira pas à l'école demain. Patrice est sympathique, il a beaucoup d'amis.	*Étant fatiguée, Éliane restera au lit.*
b	Je n'ai pas de skis, je ne peux pas sortir. Je n'ai pas d'argent, je ne peux pas aller à Val-d'Isère. Je n'ai pas faim, je ne peux pas manger. Elle n'a pas soif, elle ne peut pas boire. Nous ne sommes pas fatigués, nous pouvons sortir ce soir.	*N'ayant pas de skis, je ne peux pas sortir.*
c	Il quitte ses amis : il leur explique ce qu'il va faire. Ils quittent la réunion : ils indiquent ce qu'ils veulent faire. Il quitte sa femme : il lui demande ce qu'elle va faire. Il quitte ses amis : il leur montre ce qu'ils doivent faire.	*Il quitta ses amis en leur expliquant ce qu'il allait faire.* *En quittant ses amis il leur expliqua ce qu'il allait faire.*
d	Je ne sais pas son nom, je ne peux pas l'appeler. Vous ne savez pas son adresse, vous ne pouvez pas lui écrire. Nous ne savons pas sa nationalité, nous ne pouvons pas l'inscrire. Ils ne savent pas où il est, ils ne peuvent pas lui téléphoner.	*Ne sachant pas son nom, je n'ai pas pu l'appeler.*
e	Ils se promènent et ils fument en même temps. Ils parlent et ils prennent le café en même temps. Nous nous reposons et nous écoutons un disque en même temps. Il travaille et il chante en même temps.	*Ils se promènent en fumant.* *Ils fument en se promenant.*
f	Soudain, il croise ses skis et tombe. Soudain, un vent terrible s'élève et emporte la voile. Soudain, les vagues secouent si fort le bateau qu'il coule. Soudain, la voiture glisse et quitte la route.	*Par malheur, voilà qu'il croisa ses skis et tomba.*
34	**Imaginez la conversation entre Patrice et la skieuse qui l'a aidé à se remettre debout.**	
35	**Vous êtes Patrice, racontez votre histoire à vos amis inquiets.**	

La vie en images

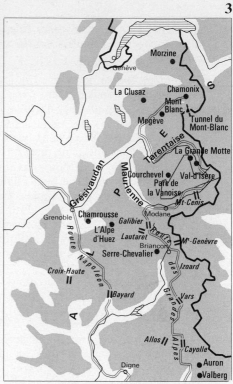

1 **Bouquetins en liberté.**
   Où se passe la scène?
   Quels sont les animaux qu'on peut rencontrer en montagne?

2 **Un téléphérique.**
   A quoi sert un téléphérique?
   Différence avec un télébenne, un télésiège, un téléski? Quels avantages offre chacun de ces moyens de remontée?

3 **Les stations de sports d'hiver dans les Alpes françaises.**

4 **Un téléski.**
   A quoi est accroché le skieur pour monter?
   Êtes-vous pour ou contre l'usage du téléski?

A Val-d'Isère

Il y a beaucoup de stations de sports d'hiver en France : Megève, Courchevel, Chamrousse, L'Alpe d'Huez, Auron. Val-d'Isère est une des plus connues. On y trouve : téléfériques; télésièges, télécabines, téléskis en grand nombre et l'enneigement y est très bon.

Mais on peut aussi aller à Val-d'Isère en été, soit pour pratiquer le ski sur les glaciers des environs ou à la Grande Motte, au-dessus de Tignes, soit pour faire un safari-photo dans le parc national de la Vanoise où on peut voir beaucoup d'animaux, des chamois, des marmottes, courir en liberté.

En mai dernier, j'y ai même vu un moto-cross. Un soir, deux ou trois cents jeunes, des garçons et des filles, arrivèrent, les uns sur de grosses motos, les äutres sur des scooters. Ils venaient de partout : de Grenoble, de Dijon, de Paris, de Strasbourg, parfois même de Belgique ou de Hollande. Ils campèrent dans les environs. Et le lendemain matin, les voilà partis, les uns derrière les autres, dans un nuage de poussière, sur la route de l'Iseran. Ils faisaient beaucoup de bruit avec leurs moteurs et leurs klaxons; ils criaient, ils chantaient, ils étaient joyeux. Je me disais : quel bonheur d'avoir vingt ans!

Le premier voyage
de la Terre à la Lune[1]

Un jour, Willem Van Loo téléphona aux Boni : « J'ai un très beau film sur le premier voyage dans la Lune, avec des explications extrêmement intéressantes. Venez le voir demain chez moi. » Et les Boni allèrent le lendemain chez Willem.

. . . .

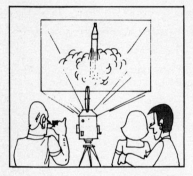

Le film est très beau en effet. D'abord, c'est le départ de l'énorme fusée Saturne.

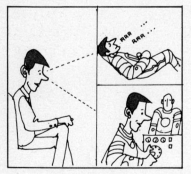

On croit être avec les cosmonautes, on croit travailler, dormir avec eux.

Trois jours plus tard a lieu l'arrivée sur la Lune.

Et voilà le moment sensationnel : Armstrong et Aldrin sortent et, pour la première fois, des hommes posent le pied sur le sol lunaire...

Maintenant, ils sont en train de ramasser des cailloux avec lesquels les savants étudieront l'âge de la Terre.

Et quand on voit la Terre se lever dans un ciel noir, quel spectacle ! Elle est magnifique : blanche et bleue, avec des taches dorées : l'Asie, l'Europe, l'Afrique...

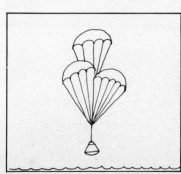

Enfin a lieu le retour...
Bientôt, Apollo, à l'aide de ses parachutes, amerrit dans l'océan Pacifique.
De leur côté, les Russes ont bien travaillé, eux aussi, pour la science de l'espace.
Ah ! comme Jules Verne aurait aimé vivre maintenant !

1 Voir texte de Jules Verne, page 244.

Tableaux structuraux

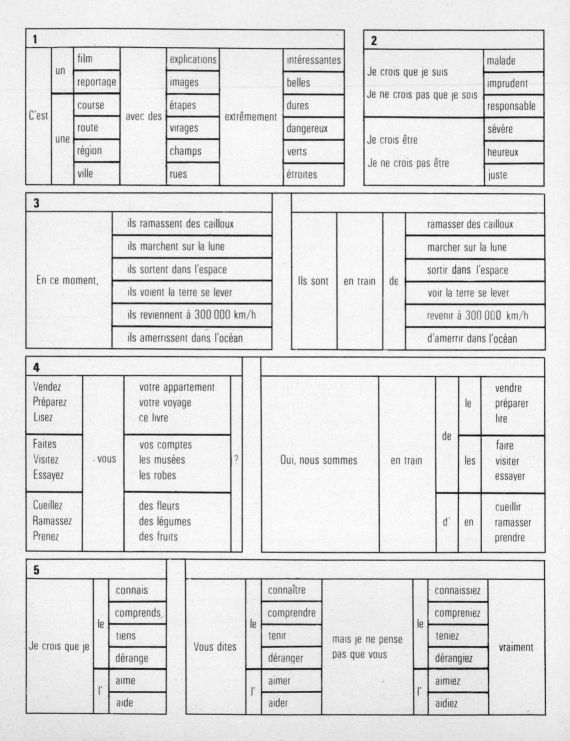

1

C'est	un	film	avec des	explications	extrêmement	intéressantes
		reportage		images		belles
		course		étapes		dures
	une	route		virages		dangereux
		région		champs		verts
		ville		rues		étroites

2

Je crois que je suis	malade
Je ne crois pas que je sois	imprudent
	responsable
Je crois être	sévère
	heureux
Je ne crois pas être	juste

3

En ce moment,	ils ramassent des cailloux	Ils sont	en train	de	ramasser des cailloux
	ils marchent sur la lune				marcher sur la lune
	ils sortent dans l'espace				sortir dans l'espace
	ils voient la terre se lever				voir la terre se lever
	ils reviennent à 300 000 km/h				revenir à 300 000 km/h
	ils amerrissent dans l'océan				d'amerrir dans l'océan

4

Vendez Préparez Lisez	-vous	votre appartement votre voyage ce livre	?	Oui, nous sommes	en train	de	le	vendre préparer lire
Faites Visitez Essayez		vos comptes les musées les robes					les	faire visiter essayer
Cueillez Ramassez Prenez		des fleurs des légumes des fruits				d'	en	cueillir ramasser prendre

5

Je crois que je	le	connais	Vous dites	le	connaître	mais je ne pense pas que vous	le	connaissiez	vraiment
		comprends			comprendre			compreniez	
		tiens			tenir			teniez	
		dérange			déranger			dérangiez	
	l'	aime		l'	aimer		l'	aimiez	
		aide			aider			aidiez	

6

Je cours	porter la lettre à la poste	Oui,	cours	la	porter à la poste
	prendre la viande chez le boucher				prendre chez le boucher
	chercher le pain chez le boulanger			le	chercher chez le boulanger
Je vais	prendre le train à la gare		vite		prendre à la gare
	acheter les médicaments chez le pharmacien		va	les	acheter chez le pharmacien
	faire les commissions au supermarché				faire au supermarché

7

Il voit	la terre	se lève		Il voit	la terre		lever
	le soleil	se couche			le soleil	se	coucher
	la mer	se calme	qui		la mer		calmer
Il sent	la peur	le saisit		Il sent	la peur		saisir
	le froid	le prend			le froid	le	prendre
	les vagues	le secouent			les vagues		secouer

8

Ferez-vous du ski			je compte	en	faire
Prendrez-vous des vacances					prendre
Rencontrerez-vous des amis	?	Oui,	je pense		rencontrer
Irez-vous à la gare					aller
Serez-vous au bureau à 9 heures			j'espère	y	être
Retournerez-vous sur la lune					retourner

9

On a	consommé de l'essence	La consommation		importante
	expliqué le problème	L'explication		claire
	présenté l'émission	La présentation	a été	bonne
	installé le chauffage	L'installation		difficile
	condamné Sophie	La condamnation		sévère
	vacciné Marc	La vaccination		facile

Grammaire

L'INFINITIF

Je crois que je suis malade. = Je **crois être** malade. *Présent*
André espère qu'il (= André) réussira. = André **espère réussir.** *Futur*

Avec les verbes **croire, penser, espérer, dire,** on peut employer l'infinitif si le sujet des deux verbes en question est le même. Sinon, on dit, par exemple : **Je crois** *que* **tu** es malade.

« ÊTRE EN TRAIN DE »

En ce moment, tu travailles. = Tu **es en train de** travailler.

A ce moment-là Henri écrivait à son frère. = Henri **était en train** d'écrire à son frère.

« ALLER » SPATIAL, « ALLER » TEMPOREL

Je **viens voir** ton film.
Je **cours porter** une lettre à la poste. ⎫
Où vas-tu?   ⎬ = sens **spatial** (déplacement)
Je **vais** ouvrir à mon frère.   ⎭
Mais : **Quand** écriras-tu à Marcel? — Je **vais** lui **écrire** demain = sens **temporel.**

LE PASSÉ SIMPLE DE « ALLER »

(J'allai, tu allas) **il alla,** (nous allâmes, vous allâtes), ils **allèrent.**

		Exemples
36	**A partir de l'exemple, construisez des phrases semblables avec les éléments donnés :**	
a	André espère qu'il réussira. On croit qu'on travaille avec les cosmonautes. Ils espèrent qu'ils arriveront sur la lune. On croit qu'on voyage avec eux.	*André espère réussir.*
b	Le plombier installe-t-il la salle de bains? L'électricien installe-t-il l'électricité? Le mécanicien répare-t-il la voiture? Le garçon sert-il les clients?	*Oui, il est en train de l'installer.*
c	Le patron parle à l'ingénieur. La dactylo écrit aux clients. L'employé téléphone aux vendeurs. Le juge parle au condamné.	*Il est en train de lui parler.*
d	Le boulanger cuit le pain? Le boucher coupe la viande? Le cuisinier prépare les bons plats? La paysanne ramasse les légumes?	*Non, il n'est pas en train de le cuire.*
e	Qu'il aille chercher son père à la gare. Qu'ils aillent chercher leurs parents à Orly. Qu'elle aille chercher du pain. Qu'elles aillent chercher des gâteaux.	*Il alla bien le chercher, mais il ne le trouva pas.*
f	Je vois la nuit qui descend. Il voit le jour qui se lève. Elle regarde la pluie qui tombe. Elle entend le tonnerre qui gronde.	*Je vois la nuit descendre, je la vois descendre.*
37	**Indiquez après chacune des phrases suivantes « spatial » ou « temporel » :** Où courez-vous? – Je vais porter la lettre à la poste (...). Je viens voir Marc (...). Je vais téléphoner à 8 heures (...). Où allez-vous? Je vais faire les provisions au marché (...). Je vais partir dans un moment (...). Où courez-vous? Je vais prendre le train (...).	
38	**Placez chacune des répliques suivantes dans une petite conversation que vous imaginerez :** Nous sommes en train de la faire visiter. Elles sont en train d'en ramasser. Venez les écouter demain chez moi.	

La vie en images

1

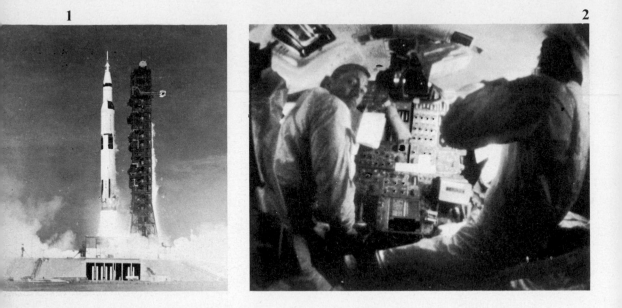

2

3

1 **Départ de la fusée.**
  Quelle est la hauteur de la fusée?
  Combien d'étages (de parties) a-t-elle?

2 **Cosmonautes dans la capsule.**
  Combien d'hommes y a-t-il dans la capsule?
  Est-ce qu'ils sont assis ou couchés?

3 **Le LEM sur la lune.**
  De quel pays est le drapeau planté à côté du cosmonaute?
  Qu'est-ce qu'on voit sur la droite de la photo?

4 **Sol lunaire.**
  Est-ce qu'il y a des arbres sur la lune?
  A quelle partie du sol terrestre ressemble le sol lunaire?

4

5

6

5 La terre vue de la lune.
Quelle est la forme de la terre?
Pourquoi ne la voit-on pas en entier?

6 Marche sur la lune.
Qu'est-ce que le cosmonaute tient dans ses mains?
Qu'est-ce qu'il a sur le dos?

Quelle est la tache blanche qu'on voit au fond?

7 Amerrissage de la capsule.
Dans quel océan la capsule s'est-elle posée?
Par quoi a-t-elle été retenue dans l'air?

8 Sortie de la capsule.
Dans quoi sont assis les deux cosmonautes?
Qu'ont fait les hommes qui sont autour d'eux?

7

8

Les congés

Pendant longtemps, les vacances furent inconnues des travailleurs, qui n'eurent que le repos du dimanche. C'est en 1936 que le gouvernement décida de donner aux travailleurs français des congés payés, chaque année.

1 *Sophie*	As-tu parlé des vacances à ton directeur?
2 *Marco*	Je lui en parlerai demain. J'espère les avoir en juillet. Et toi?
3 *Sophie*	Oh! moi, au journal, je m'arrangerai toujours. Les collègues sont très gentils.
4 *Marco*	La météo annonce du beau temps pour tout l'été.
5 *Sophie*	Où irons-nous? En France ou à l'étranger?
6 *Marco*	Allons en Angleterre? Il y a des voyages organisés.

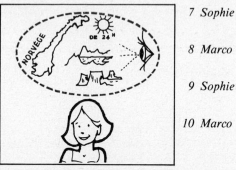

7 Sophie	Et la Norvège? J'aimerais voir le soleil de minuit, les fiords et les glaciers.
8 Marco	Tiens oui, une croisière au cap Nord, ce serait agréable.
9 Sophie	Il y a beaucoup de pays où j'aimerais aller : l'Espagne, la Pologne, la Russie...
10 Marco	Et pourquoi pas la France, tout simplement?

| 11 Sophie | Bon, mais alors, je voudrais faire du camping. |
| 12 Marco | Il faut y réfléchir... |

13 Sophie	On sonne : je crois que c'est la concierge qui apporte le courrier.
	. . . .
	Voilà une lettre de ta mère. Qu'est-ce qu'elle t'écrit?

14 Marco	Elle nous invite à passer nos vacances à Rome.
15 Sophie	Magnifique! je serai si heureuse de voir l'Italie!
16 Marco	Alors, tu vois, c'est décidé : nous allons à Rome.

Tableaux structuraux

1

Pendant longtemps,	les lois sociales	furent	inconnues	des travailleurs
	les vacances			des ouvriers
	ces maladies			des médecins
	le droit de grève			des employés
	le feu	fut	inconnu	des hommes
	ce peintre			du grand public

2

| Ils eurent | le droit de grève les congés payés la semaine de 40 heures 2 jours de repos par semaine la Sécurité sociale les vacances | |
| Il eut | les médicaments les visites du médecin l'hôpital | pour rien |

3

Où	irions	- nous,	en France	ou	à l'étranger	?
	partirions		en Grèce		en Espagne	
	resterions		à Cannes		à Nice	
	nous arrêterions		à Lyon		à Marseille	
	nous promènerions		à Chartres		à Versailles	
	nous installerions		à la mer		à la montagne	

Ils ne savent pas où	aller
	partir
	rester
	s'arrêter
	se promener
	s'installer

4

Où	se sont-ils	réfugiés	dans une grange	ou	sous un arbre	?
		renseignés	à la gare		à l'aéroport	
		assis	à l'ombre		au soleil	
		adressés	à une agence		à un journal	
		inscrits	à la faculté des lettres		à celle des sciences	
		arrêtés	au bord de l'eau		dans un champ	

Nulle part, ils n'ont trouvé où	se	réfugier
		renseigner
		asseoir
	s'	adresser
		inscrire
		arrêter

5

Dans	ce	pays	il pleut beaucoup
		village	le vin est bon
	cet	endroit	les orages sont terribles
		forêt	les arbres sont beaux
	cette	province	les gens sont aimables
		région	il fait bon vivre

C'est	un	pays	où	il pleut beaucoup
		village		le vin est bon
		endroit		les orages sont terribles
		forêt		les arbres sont beaux
	une	province		les gens sont aimables
		région		il fait bon vivre

6

Il y a beaucoup de	pays	où que dont	j'aimerais	aller visiter apprendre la langue
	provinces	où que dont		passer mes vacances traverser connaître l'histoire
	villes	où que dont		vivre habiter voir les monuments

7

Avez-vous déjà	donné du lait au bébé parlé de la croisière à Sophie demandé des vacances au patron montré des photos à Françoise prêté de l'argent à Marco parlé du voyage à votre collègue	?

| Oui, je | lui | en | ai | | déjà | donné
parlé
demandé
montré |
| Non, | ne | | | pas | encore | prêté
parlé |

8

| Je | lui en | donnerai
achèterai
enverrai
parlerai
porterai
achèterai | quand elle | partira
arrivera
écrira
téléphonera
s'en ira
passera |

| J'attends qu'elle | parte
arrive
écrive
téléphone
s'en aille
passe | pour | lui en | donner
acheter
envoyer
parler
porter
acheter |

9

| Donne-moi | le panier
le sac
le briquet
la tasse
le plat
le journal | ;

où | je dois | y

lire | mettre | les provisions
mon argent
de l'essence
du café
la viande
un article |

Grammaire

« OÙ, OU »

Où iras-tu? — J'irai à Dublin **ou** à Londres.
Où seras-tu? — Je serai en Irlande **ou** en Angleterre.
Il y a beaucoup de pays **où** j'aimerais aller.

Ne pas confondre **où** (adverbe de lieu) et **ou** (conjonction = ou bien).

LA PLACE DES PRONOMS PERSONNELS

Je parlerai **à** Sophie **de** mon voyage.
J'**en** parlerai **à** Sophie.

Je **lui** parlerai **de** mon voyage.
Je **lui en** parlerai (je ne **lui en** parlerai pas).

Le pronom **en** occupe la 2e place dans une série de deux pronoms.

LE PASSÉ SIMPLE DE « ÊTRE » ET « AVOIR »

Pendant des siècles, la France s'appela la Gaule.
. . . . .   la France **fut** appelée la Gaule
            (le nom de la France **fut** : la Gaule).
. . . . .   la France **eut** pour nom la Gaule.

être

je fus
tu fus
il **fut**
nous fûmes
vous fûtes
ils **furent**

avoir

j'eus [ʒy]
tu eus
il **eut**
nous eûmes
vous eûtes
ils **eurent**

		Exemples
39	**A partir de l'exemple, construisez des phrases semblables avec les éléments donnés :**	
a	Le patron fait une réunion tous les mois. Les ingénieurs réunissent les employés toutes les semaines. Le chef de bureau réunit les dactylos tous les matins. Le directeur de l'usine réunit le personnel du service des ventes tous les soirs.	*Le patron décida de faire une réunion chaque mois.*
b	Ils se réfugient dans une grange ou sous un arbre? Vous allez à Versailles ou à Chartres? Vous partez pour l'Espagne ou pour l'Italie? Il stationne dans la rue ou dans le parking?	*Où se sont-ils réfugiés? Dans une grange ou sous un arbre? Nulle part, ils n'ont pas su où se réfugier.*
c	Aller en Pologne, en Russie. Rester quelques jours en Savoie, en Alsace. Vivre à Toulouse, à Strasbourg, Me reposer en forêt, en montagne.	*Il y a beaucoup de pays où j'aimerais aller : la Pologne, la Russie.*
d	Je vais lui verser du vin. Tu viens de leur apporter de la viande. Elle va nous donner du pain. Vous venez de lui servir du café.	*Je vais lui en verser.*
e	As-tu parlé des vacances à ton patron? Avez-vous parlé de ce voyage à vos collègues? A-t-il demandé des vacances à son directeur? Avez-vous prêté de l'argent à Patrice?	*Pas encore, mais je lui en parlerai demain. Je ne lui en parlerai pas ce soir.*
f	Il faut y penser et en discuter (on, nous, ils). Il faut y réfléchir et en parler (tu, elle, vous).	*Il faut qu'on y pense et qu'on en discute.*
g	Vous envoie-t-on des lettres? Vous donne-t-on des nouvelles? Lui prête-t-on des livres?	*Autrefois, on m'en envoyait, maintenant, on ne m'en envoie plus.*
40	**Placez chacune des répliques suivantes dans une conversation que vous imaginerez :** Non, je ne lui en ai pas demandé. Il faudra y réfléchir. Ils eurent la semaine de quarante heures et les congés payés.	

La vie en images

1

2

3

1 **Repas familial en « caravane ».**
  Quel peut être l'âge de chaque personnage?
  Quels sont les objets posés sur la table?

2 **Un fiord en Norvège.**
  L'eau du fiord : eau de mer ou eau douce?
  Ressemblances et différences entre la montagne de gauche et celle de droite?

3 **Un glacier.**
  De quoi est fait le glacier : de neige ou de glace?
  Que voit-on au 1er plan : rivière ou torrent?

4 **Un terrain de camping.**
  Comment les tentes sont-elles placées?
  Que voit-on dans la tente située en bas et à gauche de la photo?

5 **Dessinateur en vacances.**
  Comment est vêtu le dessinateur?
  De quels instruments se sert-il pour dessiner?

4

5

Caravaning

Lui	Tu as envie de retourner à Cannes pour les vacances?
Elle	Nous y sommes allés quatre fois de suite, je commence à en avoir assez. Il faut que nous écrivions à une agence pour trouver quelque chose ailleurs, en Bretagne ou sur la côte basque.
Lui	J'ai une idée, mais est-ce qu'elle te plaira?
Elle	Dis toujours.
Lui	Si nous partions en caravane, nous n'aurions pas besoin de louer une maison ou de retenir un hôtel.

Elle	Une caravane? Est-ce que c'est confortable?
Lui	Je pense bien! Ce n'est pas comme le camping : on est à l'abri du vent et de la pluie; on a des couchettes pour dormir, un réchaud pour faire la cuisine, un réfrigérateur pour garder la viande et la boisson, un lavabo pour faire sa toilette.

Elle	Et ce n'est pas dangereux sur la route?
Lui	Peut-être, si on est imprudent. Il faut rouler bien à droite et pas trop vite.
Elle	Avec une caravane, je pourrais emporter plus de livres que dans le coffre de la voiture.
Lui	Nous emporterions aussi le transistor et le tourne-disques. Tous les soirs, nous écouterions de la musique.

Elle	Dis donc, je pense à une chose : Marcel et Andrée font beaucoup de caravaning. Tu pourrais leur demander des renseignements sur les meilleures marques.
Lui	Bon, c'est une idée. Je dois voir Marcel demain, je lui en dirai un mot.

Départ pour Rome

1 *Marco* *(il est en train de fermer les valises)*
Dépêche-toi Sophie : il faut que nous soyons à onze heures à Orly.

2 *Sophie* Je le sais, va : tu me le répètes depuis ce matin. Là, je mets mon manteau et je suis prête.

(dans le taxi)
Tu as les billets?

3 *Marco* Oui, et aussi les cartes d'identité.

Tout de même, c'est dommage de laisser Marc à Paris.

4 *Sophie* Bien sûr, mais il est encore si petit! As-tu dit à tes parents qu'il ne vient pas avec nous et qu'il reste avec ma mère?

5 *Marco* Hé oui. Ils vont bien regretter...

6 *Sophie* As-tu au moins ses photos?

7 *Marco* Je leur en apporte une dizaine.

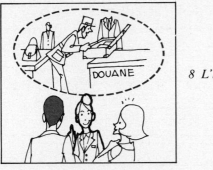

. . . .
(à l'aéroport)
Pardon, Mademoiselle, l'avion de 11 h 45 pour Rome?

8 *L'hôtesse* Porte 43, Monsieur.
. . . .
Mais il faut que vous passiez d'abord à la douane et à la police.

9 *L'hôtesse*
de l'air

. . . .
(dans l'avion)
Mesdames et Messieurs, attachez vos ceintures, s'il vous plaît. Éteignez vos cigarettes.
(les réacteurs commencent à siffler puis la Caravelle décolle)

10 *L'hôtesse*

Mesdames et Messieurs, le commandant Delmas et son équipage vous souhaitent la bienvenue à bord. Nous allons voler à 8 000 mètres d'altitude. Dans trois quarts d'heure, nous survolerons les Alpes,

puis, dans une heure et demie, nous atterrirons à Fiumicino.

Tableaux structuraux

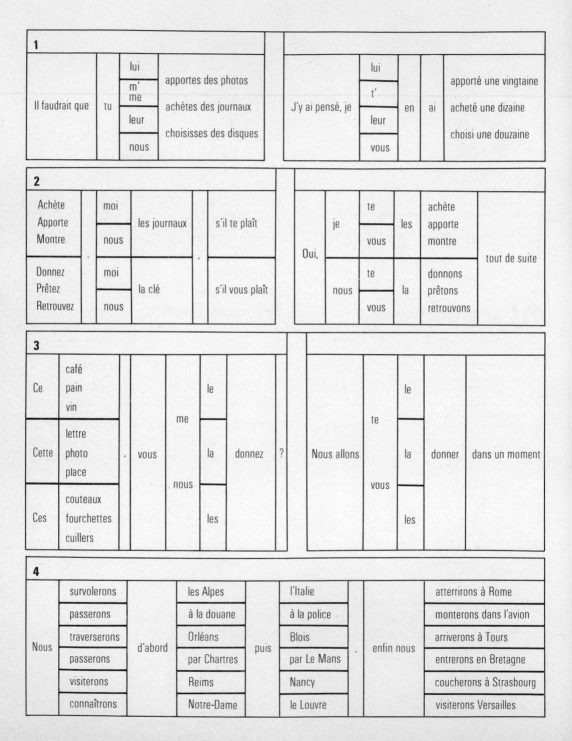

1

Il faudrait que	tu	lui / m' / me / leur / nous	apportes des photos / achètes des journaux / choisisses des disques

J'y ai pensé, je	lui / t' / leur / vous	en	ai	apporté une vingtaine / acheté une dizaine / choisi une douzaine

2

Achète / Apporte / Montre	moi / nous	les journaux	s'il te plaît
Donnez / Prêtez / Retrouvez	moi / nous	la clé	s'il vous plaît

Oui,	je / nous	te / vous / te / vous	les / la	achète / apporte / montre / donnons / prêtons / retrouvons	tout de suite

3

Ce	café / pain / vin	, vous	me / nous	le / la / les	donnez	?
Cette	lettre / photo / place					
Ces	couteaux / fourchettes / cuillers					

Nous allons	te / vous	le / la / les	donner	dans un moment

4

Nous	survolerons / passerons / traverserons / passerons / visiterons / connaîtrons	d'abord	les Alpes / à la douane / Orléans / par Chartres / Reims / Notre-Dame	puis	l'Italie / à la police / Blois / par Le Mans / Nancy / le Louvre	, enfin nous	atterrirons à Rome / monterons dans l'avion / arriverons à Tours / entrerons en Bretagne / coucherons à Strasbourg / visiterons Versailles

5

Pensait-elle	qu'ils	iraient à Rome
		partiraient ce soir
Savait-il	que vous	deviez venir
		étiez arrivés
Croyiez-vous	que nous	viendrions
		arriverions

?

	elle		pensait	
Oui,	il	le	savait	
Non,	nous	ne	croyions	pas

6

C'est dommage de		laisser Marc à Paris perdre tout ce temps vendre ce tableau
	ne pas	faire de ski profiter du soleil prendre des vacances
		aller à Rome passer à Florence entrer au musée

Oui, je regrette que nous		le	laissions perdions vendions	
	n'	en	fassions profitions prenions	pas
	y		allions passions entrions	

7

Tu sais bien que cela	m'	inquiète ennuie amuse
	me	déplaît dérange fatigue

Cela	t'	inquiète ennuie amuse
	te	déplaît dérange fatigue

?

Je ne le savais pas

8

As-tu	au moins	pris ses photos écrit son nom noté son adresse retenu son numéro de téléphone éteint la lumière fermé le gaz fermé la porte à clé emporté les clés annoncé notre arrivée

?

Non, je regrette, je ne l'ai pas fait

Grammaire

LA PLACE DES PRONOMS PERSONNELS

Des photos, je **lui en** apporte. (= à lui, à elle).
Je *lui en* . . . . . .   je **leur en** apporte.
Je *vous en* . . . . .   je **vous en** apporte.
                  tu **nous en** apportes.
                  (Tu ne **nous en** apportes pas.)

Tu *me le* . . .   Tu **me** donnes **le livre.** (= à moi)
             Tu **me le** donnes.
             (Tu ne **me le** donnes pas.)

             Je **te** donne **les livres.**
             Je **te les** donne.
             Vous **nous les** donnez.
             (Vous ne **nous les** donnez pas.)

« LE » PRONOM NEUTRE

Cela, je **le** sais.
Cela, tu me **le** répètes depuis ce matin.

Ici, *le* = cela, cette chose.

LA DURÉE

Il attend **depuis** deux heures. (Il a commencé à attendre à 3 heures; il est 5 heures.)
Elle viendra **dans** deux heures. (Il est 4 heures; elle viendra à 6 heures.)
Il a attendu **deux heures** (de 3 heures à 5 heures.)
Elle est venue **au bout de** deux heures.

41	**A partir de l'exemple, construisez des phrases semblables avec les éléments donnés :**	**Exemples**
a	Il apporte une dizaine de photos (à lui, à toi, à nous). Nous n'achetons qu'une douzaine de disques (à lui, à eux, à vous). Vous choisissez une quinzaine de cartes postales (pour moi, pour eux, pour elles).	*Des photos, il lui en apporte une dizaine.* *Des photos il ne lui en apporte pas.*
b	Donne-moi : ce journal, cette revue, ces journaux. Prêtez-moi : cette écharpe, ce manteau, ces gants. Montrez-nous : le supermarché, la poste, les magasins. (Non,... d'ici).	*Oui, je vais te le donner.* *Non, je ne peux pas te le donner.*
c	Visiter la Bretagne, descendre vers le midi, revenir par la Bourgogne. Quitter Paris, traverser la Belgique, faire un tour en Hollande. Voir le château des Papes, visiter Grenoble, passer par la Savoie.	*Nous visiterons d'abord la Bretagne puis nous descendrons vers le midi, enfin nous reviendrons par la Bourgogne.*
d	Sais-tu qu'il faut que nous soyons à onze heures à Orly? Penses-tu que nous pourrons prendre ces vacances? Crois-tu qu'il faut que nous passions à la douane?	*Oui, je le sais.*
42	**Mettez le texte suivant aux trois personnes du pluriel :** J'éteins et je ferme mon bureau à clé. Je souhaite de bonnes vacances à mes collègues et je m'en vais. Je me dépêche car mon avion décolle à vingt heures. J'atterrirai à Athènes dans deux heures.	
43	**Placez chacune des phrases suivantes dans une petite situation que vous imaginerez :** C'est vraiment dommage de ne pas profiter de ce beau soleil. Oh! j'ai oublié d'annoncer notre arrivée.	
44	**Composez de petites conversations dans lesquelles vous emploierez les expressions suivantes :** Depuis dix minutes. Depuis trois jours. Dans deux heures. Au bout d'un quart d'heure.	*Vous n'êtes pas à l'heure, monsieur. Je vous attends depuis dix minutes.* *Excusez-moi, ma montre retarde.*

La vie en images

1 Pistes à Orly.
Quels types d'avions reconnaissez-vous?
A quoi servent les auto-bus (au bas de la photo)?
Que font les gens sur la terrasse?

2 Embarquement à Orly.
A quelle compagnie appartient l'avion au premier plan?
Quels documents doit-on présenter avant de monter dans l'avion?
Que fait le camion placé entre les deux réacteurs?

3 Ravitaillement en carburant.
Quel est le type d'avion représenté ici? Expliquez son nom. Combien a-t-il de réacteurs?
Combien de « hublots » aperçoit-on sur la photo?

4 Le « Concorde » au Bourget.
Pourquoi a-t-on nommé ainsi cet avion?
A quelle vitesse le Concorde peut-il voler?
Combien de passagers peut-il emporter?
Est-ce un avion supersonique?

4

6

5

5 Le « Concorde » en construction.
    Savez-vous quelle est la longueur du Concorde?
    Où est-il construit?

6 Passagers.
    Qu'est-ce que les passagers ont devant eux?
    Que regardent-ils avec tant d'attention?
    Qu'est-ce qu'ils ont aux oreilles?

7 Le mont Blanc.
    Quelle est l'altitude du mont Blanc?

7

A Rome, chez les parents Boni

1	M. Boni	Sophie, vous aimez les spaghetti? Reprenez-en.
2	Sophie	Oh! oui, ils sont excellents.
3	M. Boni	Que faites-vous cet après-midi?

4	Sophie	Nous allons visiter les musées du Vatican.

5	M. Boni	Alors, vous allez voir de belles peintures, dans les chambres de Raphaël, et de belles sculptures, comme l'Apollon du Belvédère.

6	Sophie	Nous irons aussi à la basilique Saint-Pierre.
7	M. Boni	Ce n'est pas la plus ancienne des églises catholiques, puisqu'elle fut construite au XVIe siècle, mais c'est la plus grande et elle est visitée chaque année par des millions de touristes.

8 *Mme Boni* Nous, la première fois que nous avons visité Saint-Pierre, c'était en 1960 : tu te rappelles, Carlo? Ça faisait dix ans que nous habitions à Palerme et nous n'avions encore jamais vu Rome.

9 *M. Boni* A cette époque-là, Rome n'était pas si animée qu'aujourd'hui.

10 *Mme Boni* Oh! oui, la circulation était plus facile; il n'y avait pas tant de voitures.

11 *M. Boni* C'est la même chose à Paris, n'est-ce pas?

12 *Sophie* Je le crois bien! Demandez à Marco. Il dit qu'on y circule aussi mal!

13 *M. Boni* Il faudra aussi que vous voyiez les ruines antiques, le Colisée, par exemple.

14 *Mme Boni* Et puis il faudra aller jeter une pièce dans la fontaine de Trevi, pour être sûrs de revenir bientôt... avec le petit Marc, cette fois!

Tableaux structuraux

1

Rome			animée				de	visiteurs	
La police	n'était pas		sévère					voitures	
La ville		aussi	grande	,	il n'y avait pas	autant		habitants	qu'aujourd'hui
La vie		si	dangereuse			tant	d'	accidents	
Les voyages	n'étaient pas		organisés					agences	
Les feux			nombreux				de	circulation	

2

	habitions à Palerme		vu Rome
	habitions à Paris		pris le métro
Ça faisait 10 ans que nous	jouions aux courses	et nous n'avions encore jamais	gagné
	devions aller à Chartres		pu y aller
	cherchions un pavillon		pu en trouver un
	attendions ce voyage		pu le faire

3

			ancienne des églises					grande
		la plus	grande des villes				la plus	belle
Ce n'est			belle des sculptures		c'est			amusante
	pas		sensationnel des voyages	mais		sans doute		agréable
		le plus	moderne des musées				le plus	riche
			riche des hommes					gentil
			connues des places					tranquilles
Ce ne sont		les plus	tranquilles des rues		ce sont		les plus	belles
			beaux des quartiers					modernes

4

Depuis quand	saviez faisiez disiez pensiez	- vous				le	savais faisais disais pensais	depuis	plusieurs jours
			cela	?	Cela, je				
Quand	avez-vous	su fait dit pensé				l'	ai	su fait dit pensé	il y a	quelques mois

132

5

Vous aimez		?		-en	Mais,	n'	en		pas	trop !
	les spaghetti		Reprenez					reprenez		
	ce fromage		Mangez					mangez		
	ces légumes		Ramassez					ramassez		
	ces fruits		Cueillez					cueillez		
	ce cognac		Prenez					prenez		
	ce pain		Achetez					achetez		
	ces fleurs		Cueillez					cueillez		
	ce vin		Buvez					buvez		

6

Il y a			-les	Il y en a trop	ne	les		pas	
	des disques à écouter	Écoutez					écoutez		
	des musées à visiter	Visitez					visitez		tous
	des souvenirs à acheter	Achetez					achetez		
	des jardins à voir	Voyez					voyez		
	des cartes postales à prendre	Prenez					prenez		
	des fleurs à acheter	Achetez					achetez		
	des sculptures à photographier	Photographiez					photographiez		toutes
	des ruines antiques à voir	Voyez					voyez		

Grammaire

« AUTANT » OU « TANT » — « AUSSI » OU « SI »

Il y a **autant** de voitures à Rome qu'à Paris.

{ Il **n'y** a **pas autant** de voitures à Orléans qu'à Paris.
{ Il **n'y** a **pas tant** de voitures à Orléans qu'à Paris.

Paris est **aussi** grand que Rome.

{ Orléans **n'est pas aussi** grand que Paris.
{ Orléans **n'est** pas **si** grand que Paris.

Dans une phrase négative, on remplace souvent **autant** par **tant** et **aussi** par **si**.

LA PLACE DES PRONOMS PERSONNELS

(*verbe à l'impératif*) ... *le*!   Prenez les livres!
ne *le* ... pas!   Prenez-**les**!
                                      Ne **les** prenez **pas**!

... *en*!   Prenez du vin!
n'*en* ... pas!   Prenez-**en**!
                                      N'**en** prenez **pas**!

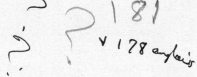

LA DURÉE

Il dort **depuis** dix heures.
Il y a dix heures **qu'**il dort.

Français parlé : **Ça fait** dix heures **qu'**il dort.

134

		Exemples
45	**A partir de l'exemple, construisez des phrases semblables avec les éléments donnés :**	
a	Des voitures à Orléans et à Paris. Des voyageurs à Bruxelles et à Londres. Des habitants à Bordeaux et à Lyon. Des étudiants à Poitiers et à Rennes.	*Y avait-il autant de voitures à Orléans qu'à Paris?* *Non, des voitures, il n'y en avait pas autant à Orléans qu'à Paris.*
b	Rome était animée. Le voyage était rapide. Les repas étaient bons. Les filles étaient élégantes.	*Rome était-elle aussi (si) animée qu'aujourd'hui?* *Non, elle ne l'était pas.*
c	Rome était moins animée, il y avait moins de visiteurs. Les gens étaient moins pressés, ils avaient moins de travail. La circulation était moins dangereuse, il y avait moins de voitures.	*Rome n'était pas si (aussi) animée, il n'y avait pas tant (autant) de visiteurs qu'aujourd'hui.*
d	Écoutez ces disques. Regardez ces toiles. Visitez ces ruines. Photographiez les fontaines de Rome.	*Écoutez-les tous!* *Non, ne les écoutez pas tous, il y en a trop.*
e	Reprenons des spaghetti. Buvons du vin blanc. Prends du rôti. Mangeons du raisin.	*Reprenons-en encore un peu.* *Oui, mais n'en reprenons pas trop!*
46	**Composez de petites conversations dans lesquelles vous emploierez les expressions suivantes :**	
	Il y a longtemps. Il y a dix minutes. Ça fait deux heures. Toutes les heures. Dans combien de temps?	**Elle** *Je suis en retard, excusez-moi. Il y a longtemps que vous êtes là?* **Lui** *Non, il n'y a pas longtemps, je viens juste d'arriver.*
47	**Placez chacune des répliques suivantes dans une petite situation que vous imaginerez :**	
	Ne bois pas trop, n'oublie pas que tu dois conduire. Prenez-les tous, j'en ramasserai encore demain. Ça fait dix ans. Ça faisait trois semaines que je le savais.	

La vie en images

1

2

1 **La Joconde.**
Comment sont habillés les visiteurs?
Les jeunes gens sont-ils les plus nombreux?
Où est le tableau appelé « La Joconde »: à gauche? à droite? au milieu?

2 **La fontaine de Trevi.**
De quelle époque date la fontaine de Trevi?
Quel est le dieu qui est au centre de l'image?
Pourquoi y a-t-il des chevaux devant lui?

3 **Embouteillages place de la Concorde à Paris.**
Pourquoi beaucoup de voitures sont-elles vides?
Où sont leurs conducteurs?
Quelles marques d'autos reconnaissez-vous?

4 **Son et lumière à Saint-Pierre de Rome.**
Vers quelle heure se passe la scène?
Où se trouve la statue du Christ?

3

4

Les moustaches de la Joconde

Le fils   Tu restes à la maison, aujourd'hui, papa?

Le père   Je n'aime pas sortir le dimanche, tu le sais. Et puis, cet après-midi, il y a du football à la télé. On va nous passer, sur la deuxième chaîne couleur, la finale de la Coupe de France.

Le fils   Alors tu me prêtes la voiture? J'ai un copain finlandais, Paavo Tuominen, qui est à Paris depuis deux jours. Il est peintre et il voudrait visiter le musée du Louvre. Je pourrais aller le chercher à son hôtel, au Quartier Latin, avec ton auto.

Le père   Bon, prends-la. Le dimanche, il y a moins de circulation qu'en semaine. En quelques minutes vous serez arrivés.

Le fils   Dis donc, papa, tu n'aurais pas un « Guide Bleu »? Il y a trois ans que je ne suis pas allé au Louvre et c'était avec notre prof d'histoire. Je ne me rappelle plus ce qu'il a dit. Et puis, la peinture et moi...

Le père   Tu aimerais mieux emmener ton ami au Palais de la Découverte, n'est-ce pas?

Le fils   Sûrement! L'astronomie et la physique, ça sert au moins à quelque chose.

Le père   Un beau tableau, c'est une chose qui parle au cœur ou à l'esprit. Il y en a de célèbres au Louvre : la Joconde, par exemple.

Le fils   La Joconde? Elle n'est pas si belle que ça! Tu sais ce qu'a fait un peintre moderne pour la rajeunir? Il lui a mis des moustaches! Ça faisait quatre cents ans qu'on l'admirait : il était temps de la rajeunir.

pourquoi lui en place d'elle

Pays du tiers monde

1 *Marco*   Je viens de recevoir à l'usine la visite d'un ingénieur noir.

2 *Sophie*   Ah! de quel pays?

3 *Marco*   Du Sénégal.

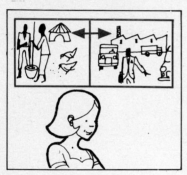

4 *Sophie*   C'est un pays en plein développement, d'après les livres que j'ai lus.

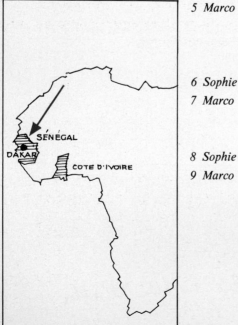

5 *Marco*   Beaucoup de pays d'Afrique comme le Sénégal, la Côte-d'Ivoire, le Dahomey, le Niger, forment de bons ingénieurs.

6 *Sophie*   Et que fera cet ingénieur à Paris?

7 *Marco*   Un stage dans un service d'informatique. Mais il voulait aussi examiner nos nouveaux ordinateurs.

8 *Sophie*   Alors, il les a vus? Et qu'en a-t-il dit?

9 *Marco*   Il a trouvé ça très bien et il espère que son gouvernement pourra en acheter quelques-uns.

Ce garçon est très sympathique. Je te le présenterai. Il parle le français, bien sûr, mais il sait aussi l'anglais et l'allemand.

Ses études, il les a faites à l'université de Dakar et à Paris.

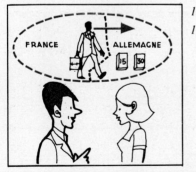

10 Sophie   Il ne séjournera qu'en France?
11 Marco   Je crois qu'il ira ensuite faire un autre stage en Allemagne.

12 Sophie   Tu pourrais l'inviter à dîner, la semaine prochaine. Serait-il libre mercredi?
13 Marco   Je le lui demanderai.

Tableaux structuraux

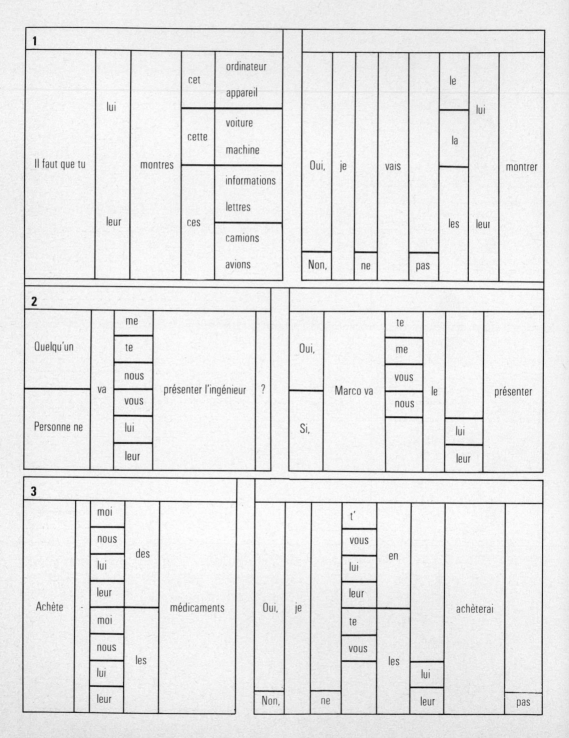

1

Il faut que tu	lui / leur	montres	cet	ordinateur / appareil
			cette	voiture / machine
			ces	informations / lettres / camions / avions

| Oui, | je | vais | | le / la / les | lui / leur | montrer |
| Non, | | ne | pas | | | |

2

| Quelqu'un / Personne ne | va | me / te / nous / vous / lui / leur | présenter l'ingénieur | ? |

| Oui, / Si, | Marco va | te / me / vous / nous | le | présenter |
| | | lui / leur | | |

3

| Achète - | moi / nous / lui / leur | des | médicaments |
| | moi / nous / lui / leur | les | |

Oui,	je	t' / vous / lui / leur	en	achèterai
		te / vous	les	
Non,	ne	lui / leur		pas

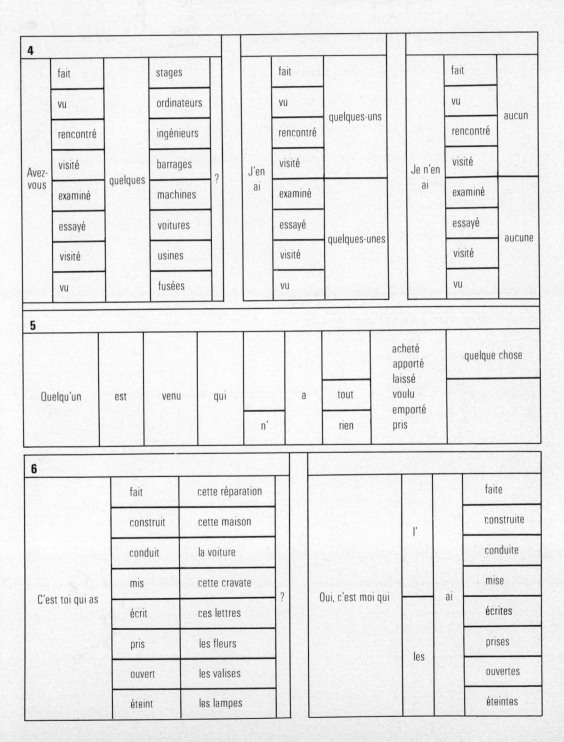

4

Avez-vous	fait	quelques	stages	?
	vu		ordinateurs	
	rencontré		ingénieurs	
	visité		barrages	
	examiné		machines	
	essayé		voitures	
	visité		usines	
	vu		fusées	

J'en ai	fait	quelques-uns
	vu	
	rencontré	
	visité	
	examiné	
	essayé	quelques-unes
	visité	
	vu	

Je n'en ai	fait	aucun
	vu	
	rencontré	
	visité	
	examiné	aucune
	essayé	
	visité	
	vu	

5

| Quelqu'un | est | venu | qui | n' | a | tout | acheté apporté laissé voulu emporté pris | quelque chose |
| | | | | | | rien | | |

6

C'est toi qui as	fait	cette réparation	?
	construit	cette maison	
	conduit	la voiture	
	mis	cette cravate	
	écrit	ces lettres	
	pris	les fleurs	
	ouvert	les valises	
	éteint	les lampes	

Oui, c'est moi qui	l'	ai	faite
			construite
			conduite
			mise
			écrites
	les		prises
			ouvertes
			éteintes

Grammaire

LA PLACE DES PRONOMS PERSONNELS

Je demanderai **cela** à **Marco**.
                 1   2

Je *le lui* . . . Je **le** demanderai à **Marco**.
                     1   2

                    Je **le lui** demanderai. (Je ne **le lui** demanderai pas.)
                     1 2

                    Les livres, je **les leur** demanderai. (Je ne **les leur** demanderai pas.)
                               1   2

                    Le premier pronom est *objet direct*.

Je *te le* . . . Vous **nous le** présenterez.
                        2 1

                    Je **vous le** présenterai.
                       2 1

                    Pierre? je **te le** présenterai.
                          2 1

                    Le premier pronom est *objet indirect*.

L'ACCORD DU PARTICIPE PASSÉ

J'ai **fait** des **études** intéressantes.
 1   2
Les études **que j'ai faites** étaient intéressantes.
             2   1
Quelles études as-tu faites?
 2   1

J'ai **vu** de beaux films.
Les as-tu **vus**?

Le participe passé, après **avoir**, s'accorde avec le complément d'objet direct quand ce complément précède le verbe. Sinon, le participe reste invariable.

ADJECTIFS – PRONOMS INDÉFINIS

Voulez-vous lire **quelques** livres?
J'en ai lu **quelques-uns**.

Quelqu'un est venu.
Personne n'est venu; je ne vois **personne**.
Je n'*ai vu* **personne**.

Il a apporté **quelque chose**.
Il n'apporte **rien**.
Il n'*a* **rien** *apporté*.

		Exemples
48	**A partir de l'exemple, construisez des phrases semblables avec les éléments donnés :**	
a	Il faut qu'on me montre cet ordinateur. Il faut qu'on nous donne les informations nécessaires. Il faut qu'on vous apporte les journaux. Il faut qu'on te serve le café.	*Oui, on va te le montrer tout de suite.*
b	Peux-tu lui montrer cet ordinateur? Pouvez-vous leur présenter cet appareil? Pouvons-nous lui donner ces renseignements? Peux-tu lui envoyer ces informations?	*Oui, je vais le lui montrer.* *Non, je ne peux pas le lui montrer.*
c	Quelqu'un va me présenter l'ingénieur? Quelqu'un va lui présenter le directeur? Quelqu'un va te montrer le mode d'emploi? Quelqu'un va leur donner des explications?	*Oui, Pierre va te le présenter.*
d	Laissez-lui les passeports – Laissez-moi les papiers. Laissez-moi de l'argent – Laissons-leur les billets. Montrez-moi les photos – Montre-lui le chemin. Montre-leur la route – Montrez-nous les chambres. Achète-moi des médicaments – Achetez-leur des revues.	*Oui, je vais les lui laisser.*
e	As-tu fait quelques stages? A-t-il vu quelques ordinateurs? Ont-ils visité quelques usines? Ont-elles examiné quelques machines? Avez-vous rencontré quelques ouvriers?	*J'en ai fait quelques-uns.* *Je n'en ai fait aucun.*

f	Est-ce toi qui as fait ce travail?
	                cette réparation?
	                ces travaux?
	                ces réparations?
	Est-ce lui qui a construit ce garage?
	                cette maison?
	                ces ponts?
	                ces habitations?
	Est-ce vous qui avez écrit ces articles?
	                cette nouvelle?
	                ces poèmes?
	                ces pages?
		Non, ce n'est pas moi qui l'ai fait.

49	**Placez chacune des répliques suivantes dans une petite conversation que vous imaginerez :** Quelqu'un est venu qui a apporté quelque chose. Quelqu'un est venu qui a tout emporté.	

La vie en images

1

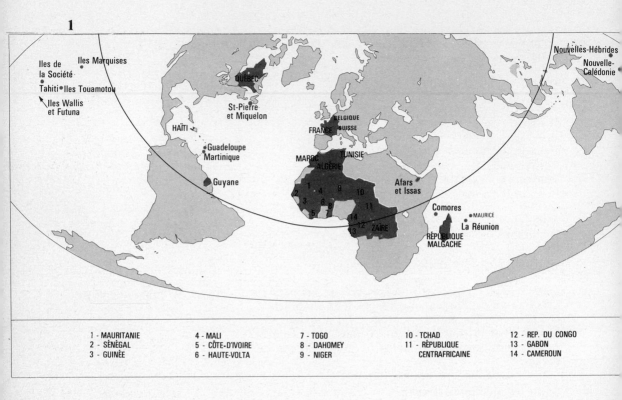

1 - MAURITANIE	4 - MALI	7 - TOGO	10 - TCHAD	12 - REP. DU CONGO
2 - SÉNÉGAL	5 - CÔTE-D'IVOIRE	8 - DAHOMEY	11 - RÉPUBLIQUE	13 - GABON
3 - GUINÉE	6 - HAUTE-VOLTA	9 - NIGER	CENTRAFRICAINE	14 - CAMEROUN

1 La francophonie.

Quels sont les principaux pays francophones?

Pourquoi parle-t-on le français au Québec, en Belgique, en Algérie, à Madagascar?

Et pourquoi avez-vous choisi, vous-même, d'apprendre le français?

2 L'université de Dakar.

A quoi voit-on qu'il s'agit d'un bâtiment moderne?

Pouvez-vous citer quelques universités très connues dans le monde?

2

Le français et la francophonie

M. Frederiksen *(Norvégien)*	Quelqu'un m'a dit que vous savez plusieurs langues.
M. Hansen *(Danois)*	Oui, je les ai apprises au lycée.
M. Frederiksen	Lesquelles parlez-vous le mieux?
M. Hansen	L'anglais et l'allemand. Mais depuis un an, je perfectionne mon français.
M. Frederiksen	Le français? pourquoi?
M. Hansen	Parce que c'est une langue internationale.
M. Frederiksen	Oh! à côté de l'anglais...
M. Hansen	C'est vrai que l'anglais est la langue du commerce et des affaires.
M. Frederiksen	Et aussi de la science et même de la diplomatie.
M. Hansen	Mais savez-vous qu'à l'O. N. U. le français est utilisé à égalité avec l'anglais? C'est la langue officielle de nombreux pays d'Afrique noire.
M. Frederiksen	Lesquels?
M. Hansen	Je ne vous les citerai pas tous, mais seulement quelques-uns; par exemple: le Sénégal, la République Centrafricaine, Madagascar. On les appelle quelquefois les états francophones, c'est-à-dire ceux où on parle le français.
M. Frederiksen	Combien y a-t-il de francophones dans le monde?
M. Hansen	Cent millions environ.
M. Frederiksen	Cent millions, c'est quelque chose! Où les trouve-t-on?
M. Hansen	En France, bien sûr. Et puis en Belgique, en Suisse, au Canada, à Haïti, en Algérie, au Maroc, etc. En outre, le français est parlé par pas mal de gens en Italie, en Allemagne, au Liban, en Israël. Si vous savez cette langue, on vous comprendra dans beaucoup de pays. Et vous pourrez lire Molière, Victor Hugo ou le dernier Goncourt sans avoir besoin de traduction.

Une lettre de Willem Van Loo

(Il est maintenant aux U.S.A., où il fait un stage technique.)

1 *Sophie*   Il y a une lettre de Willem qui nous écrit de New York.

2 *Marco*   Ah! ça me fait rudement plaisir, ... lis-la-moi, veux-tu?

3 *Sophie*   Oh! elle n'est pas longue!

New York, le 16 novembre

Chers amis,

Plusieurs semaines se sont passées, depuis que je vous ai quittés et je n'ai pas encore trouvé le temps de vous écrire.

Vous devez dire : quel paresseux, ce Willem!

Mais ce n'est pas vrai, je vous assure : au contraire j'ai beaucoup de travail dans mon laboratoire. Chaque jour, j'ai de nouveaux problèmes à résoudre, pas mal de calculs à faire.

J'espère tout de même vous écrire bientôt plus longuement, quand j'aurai organisé ma vie à New York, que j'aurai visité ses musées les plus fameux, le Metropolitan et la collection Frick, par exemple,

que j'aurai fait le tour de Manhattan en bateau.

Je voudrais bien aussi visiter le gratte-ciel de l'O.N.U. que je vois de ma chambre, au 35e étage.

Je vous parlerai de tout ça en détail et je vous enverrai des photos.

Affections pour vous trois; amitiés à Karl et à Patrice.

Willem.

Tableaux structuraux

1

Quand	j'aurai / il aura / nous aurons / ils auront	visité	le musée d'art moderne / le gratte-ciel de l'ONU / le château de Versailles / la basilique Saint-Pierre / la Rome antique / la cathédrale de Chartres	,	je / il / nous / ils	te / vous	le / la	décrirai / décrira / décrirons / décriront

Colonne « lui / leur » : lui, leur

2

Réveillez / Servez / Emmenez / Appelez / Rappelez / Demandez	-	moi / le / la / nous / les	à huit heures	Ne	me / le (l') / la (l') / nous / les	réveillez / servez / emmenez / appelez / rappelez / demandez	pas	plus tard

3

Donnez / Apportez / Prêtez / Montrez / Achetez / Laissez	-	moi / nous / lui / leur	ce livre	Ne	me / nous / le / lui / leur	(l')	donnez / apportez / prêtez / montrez / achetez / laissez	pas	maintenant

4

Comme	la poste n'est pas ouverte / nous sommes en retard / Jules n'est pas chez lui / tout le monde est prêt / nous ne pouvons pas passer / Paul n'a pas fait le travail	,	nous attendons / nous nous dépêchons / nous reviendrons / nous partons / nous reculons / nous le ferons	Il n'y a plus qu'à	attendre / se dépêcher / revenir / partir / reculer / le faire

5

Si vous			,	on vous			Vous n'avez qu'à			,	on vous		
partiez				suivrait			partir				suivra		
parliez				écouterait			parler				écoutera		
frappiez				ouvrirait			frapper				ouvrira		
écriviez				répondrait			écrire				répondra		
sonniez				ouvrirait			sonner				ouvrira		
commandiez				servirait			commander				servira		

6

Comment faire pour		?	En			Il n'y a qu'à / Tu n'as qu'à	
traverser cette rue			faisant attention			faire attention	
inviter Andrée			lui écrivant			lui écrire	
gagner la partie			jouant vite			jouer vite	
ne pas s'ennuyer			lisant un bon livre			lire un bon livre	
connaître Paris			y allant			y aller	
gagner de l'argent			travaillant			travailler	
trouver du travail			cherchant			chercher	
réussir à ses examens			étudiant			étudier	

7

Avez-vous				?	Oui,	je	
	compris	la méthode					l'ai comprise
		le dessin					l'ai compris
		les détails techniques					les ai compris
		les opérations techniques					les ai comprises
	inscrit	ce garçon					l'ai inscrit
		cette fille					l'ai inscrite
		ces enfants					les ai inscrits
		ces étudiantes					les ai inscrites
	remis	votre travail					l'ai remis
		votre étude					l'ai remise
		vos travaux					les ai remis
		vos remarques					les ai remises

Grammaire

LE FUTUR ANTÉRIEUR

Demain, je *visiterai* le musée d'art moderne;
après-demain, je vous le *décrirai*.

Quand j'**aurai visité** le musée d'art moderne,
je vous le *décrirai*.

Pour exprimer qu'une action future aura lieu avant une autre action future, on emploie le futur
antérieur qui se forme avec le futur de l'auxiliaire et le participe passé du verbe en question,
ici : visité.

j'**aurai visité**
tu **auras visité**
il **aura visité**
nous **aurons visité**
vous **aurez visité**
ils **auront visité**

LA PLACE DES PRONOMS PERSONNELS À L'IMPÉRATIF

(verbe à l'impératif) . . . . . -moi!
. . . . . -le-moi!
. . . . . -le-lui!

Donne-**moi** ce livre
Donne-**le-moi,** donne-**le-lui!**
    1   2   1 2

Mais :

Ne **me** le donne pas!
    2 1
Ne **le lui** donne pas!
  1 2

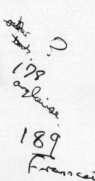

J'AI À LIRE

Je **dois lire** un livre :
= J'**ai** un livre à **lire.**
= J'ai **à lire** un livre.

Vous **n'avez** qu'**à frapper** : on vous ouvrira.
= **Il n'y a qu'à frapper.**

		Exemples
50	**A partir de l'exemple, construisez des phrases semblables :**	
a	Je visite le musée d'art moderne et je vous le décris. Tu organises ta vie là-bas et tu nous écris. Il prend des photos et il nous les envoie. Nous examinons les ordinateurs et nous en achetons (peut-être) quelques-uns. Il séjourne en France et il va en Allemagne.	*Quand j'aurai visité le musée d'art moderne, je vous le décrirai.*
b	Me réveiller, le servir, l'emmener, nous appeler, les attendre. les réveiller, l'arrêter, les acheter, la relever, les attendre.	*Réveillez-moi. Ne me réveillez pas. Réveillons-les. Ne les réveillons pas.*
c	Tu donnes ces billets : à lui, à moi, à elles. Elle demande les prix : à moi, à eux, à toi. Je pose des questions : à eux, à vous, à elle.	*Tu les lui donnes.*
d	Si tu pars, on te suit. Si tu t'expliques, on te comprend. Si tu parles, on t'écoute. Si tu travailles, on te paie.	*Tu n'as qu'à partir, on te suivra.*
e	Prends un taxi quand tu vas chez ta mère. Regarde à gauche, puis à droite quand tu traverses la rue. Réponds quand on te parle.	*Quand tu vas chez ta mère, tu n'as qu'à prendre un taxi.*
f	Je dois résoudre des problèmes. faire des calculs. étudier une question. examiner des détails techniques.	*J'ai des problèmes à résoudre. J'ai à résoudre des problèmes.*
51	**Mettez les phrases suivantes au passé composé :** Comprends-tu la méthode? — Oui, je la comprends. Examines-tu les détails techniques? — Oui, je les examine. Inscrivons-nous les étudiantes? — Oui, nous les inscrivons. Remettez-vous votre étude? — Oui, je la remets. Organisez-vous votre vie? — Oui, je l'organise.	
52	**Placez chacune des répliques suivantes dans une conversation que vous imaginerez :** Tu n'as qu'à réfléchir un peu. Quand je le verrai, je le lui dirai.	

La vie en images

1 Marché à Dakar.

Quels produits sont vendus sur ce marché?

Qu'est-ce que les femmes portent sur la tête?

2 Le musée Guggenheim.

Quelle est la forme du musée? Quel en est l'avantage? Quel genre de peinture y présente-t-on?

3 Manhattan vu du pont de Brooklyn.

Comment appelle-t-on les immenses buildings de Manhattan? Quelle est la rivière que traverse le pont?

4 Le bâtiment de l'O. N. U.

On a parfois appelé ce bâtiment « la boîte d'allumettes ». Pourquoi?

Quels sont les personnages du 1er plan?

Le tour du monde

Frédéric	Tu n'as jamais eu envie de faire le tour du monde?
Jérôme	Si, bien sûr, mais seulement quand j'aurai fini mes études.
Frédéric	Et tu en as encore pour longtemps à l'université?
Jérôme	Si tout va bien, j'aurai ma licence dans un an. Il ne me reste plus que six unités de valeur à obtenir.
Frédéric	Et après, tu pourrais partir?
Jérôme	Non, j'ai d'abord ma maîtrise à passer.
Frédéric	Sur quel sujet?
Jérôme	Linguistique, probablement, ou psychologie. Après, je préparerai un doctorat.
Frédéric	Un doctorat d'État?
Jérôme	Non, de 3e cycle pour commencer. C'est plus raisonnable.

Frédéric	Ce qui est plus raisonnable, quand on a vingt ans, c'est de voir du pays. Toujours lire, toujours écrire, j'en ai assez! Moi, dans trois mois, j'embarque sur un cargo qui va jusqu'à Dakar. Là, je m'arrêterai et je chercherai du travail pour deux ou trois mois.
Jérôme	Du travail? Lequel?
Frédéric	Je ne sais pas, mais je trouverai bien quelque chose.
Jérôme	Et après?
Frédéric	Je continuerai mon voyage. J'irai en Afrique du Sud, au Pakistan, en Inde, en Chine, aux Philippines, au Japon. Quand je serai rentré, nous dînerons un soir ensemble : j'aurai beaucoup de choses à te raconter.

Les reportages de Sophie : une grève

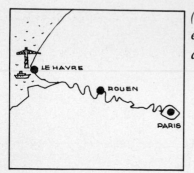

(Sophie a été envoyée par son journal au Havre pour enquêter sur une grève des dockers, qui en est à son dixième jour. Elle téléphone au journal :)

La grève des dockers continue dans le port du Havre. Depuis dix jours, les bateaux ne sont plus chargés, les grues ne tournent plus, les marchandises restent sur les quais.

Je suis allée interroger quelques grévistes :
« La grève va-t-elle durer encore longtemps? » ai-je demandé à l'un d'eux.
Il m'a répondu : « Je ne sais pas, on discute avec les patrons; le syndicat leur demande 10 % d'augmentation; ils offrent seulement 5 %.
— Mais ces marchandises ne peuvent pourtant pas rester des semaines sur le quai? »

A ce moment, un autre docker s'est approché, et, après nous avoir écoutés, m'a dit :
« Tant pis, c'est la faute des patrons. Nos gosses ont besoin de pain,

et nous, nous avons besoin d'être traités comme des hommes.

Voilà ce qui explique notre grève, voilà ce que nous voulons; et la grève durera un mois, s'il le faut; vous pouvez le dire à votre journal. »

Tableaux structuraux

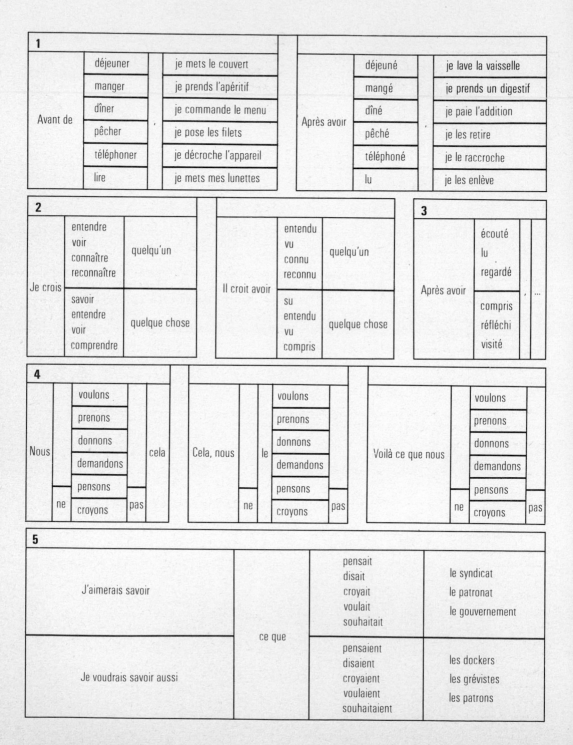

1

Avant de	déjeuner	je mets le couvert		Après avoir	déjeuné	je lave la vaisselle
	manger	je prends l'apéritif			mangé	je prends un digestif
	dîner	je commande le menu	,		dîné	je paie l'addition
	pêcher	je pose les filets			pêché	je les retire
	téléphoner	je décroche l'appareil			téléphoné	je le raccroche
	lire	je mets mes lunettes			lu	je les enlève

2

Je crois	entendre voir connaître reconnaître	quelqu'un
	savoir entendre voir comprendre	quelque chose

Il croit avoir	entendu vu connu reconnu	quelqu'un
	su entendu vu compris	quelque chose

3

Après avoir	écouté lu regardé	, ...
	compris réfléchi visité	

4

| Nous | voulons prenons donnons demandons pensons | cela | | ne | | croyons | pas |

| Cela, nous | le | voulons prenons donnons demandons pensons | ne | croyons | pas |

| Voilà ce que nous | voulons prenons donnons demandons pensons | ne | croyons | pas |

5

J'aimerais savoir		pensait disait croyait voulait souhaitait	le syndicat le patronat le gouvernement
	ce que		
Je voudrais savoir aussi		pensaient disaient croyaient voulaient souhaitaient	les dockers les grévistes les patrons

6

Il faut que	tu	reviennes réfléchisses enquêtes interroges discutes	tout de suite	Reviens Réfléchis Enquête Interroge Discute	vite,	il le faut
	vous	reveniez réfléchissiez enquêtiez interrogiez discutiez		Revenez Réfléchissez Enquêtez Interrogez Discutez		

7

Les patrons n'offrent que 5 % d'augmentation		explique la grève
La grève dure depuis dix jours		fait réfléchir les patrons
La grève durera un mois		inquiète le gouvernement
Il faudrait une augmentation de 10 %	, voilà ce qui	calmerait les dockers
On discute avec les patrons		intéresse le syndicat
Ils n'ont plus d'argent		gêne l'action des ouvriers

8

J'ai		pain	me		pain	m'		J'	ai	
Tu as		vin	te		vin	t'		Tu	as	
Il a	besoin de	café	lui	faut du	café	lui	en faut	Il	a	besoin
Nous avons		sucre	nous		sucre	nous		Nous	avons	
Vous avez		lait	vous		lait	vous		Vous	avez	
Ils ont		sel	leur		sel	leur		Ils	ont	

Grammaire

L'INFINITIF PASSÉ

Infinitif présent : Avant de déjeuner, je mets le couvert.
Infinitif passé   : Après **avoir déjeuné**, je lave la vaisselle.
Infinitif présent : Je crois entendre quelqu'un (en ce moment).
Infinitif passé   : Je crois **avoir entendu** quelque chose.

L'infinitif passé d'un verbe se forme avec l'infinitif présent de l'auxiliaire et le participe passé du verbe en question : **déjeuné, entendu.**

« CE QUI, CE QUE »

= Cela te chagrine.
= Voilà **ce qui** te chagrine.
= Voilà la chose qui te chagrine.

= Cela, je le veux.
= Voilà **ce que** je veux.
= Voilà la chose que je veux.

« J'AI BESOIN DE, IL ME FAUT »

J'ai besoin **de pain.** (Il *me* **faut** du pain, il *lui* **faut** du pain, etc.).
J'ai besoin **de manger.** (Il *me* **faut** manger – *français écrit*).
J'ai besoin de pain : j'**en ai besoin.**

« IL LE FAUT »

= Il faut que tu reviennes.
= Reviens, il **le** faut.

LA PLACE DES PRONOMS PERSONNELS

Les tableaux suivants A et B rendent compte des places occupées par plusieurs pronoms personnels atones (= autres que **moi, toi, eux**).
1. dans une phrase affirmative à un mode autre que l'impératif;
2. dans une phrase négative.

	objet indirect	objet direct	
A. sujet	**me (te, se, nous, vous)**	**le (la, les)**	verbe

	objet direct	objet indirect	
B. sujet	**le (la, les)**	**lui (leur)**	verbe

Exemples : A. Je *te le* donne. **B.** Je *le lui* donne. – Impératif négatif : ne *me le* donne pas.
En se place immédiatement avant le verbe, sauf à l'impératif affirmatif; exemple : Tu m'*en* donnes, tu *lui en* donnes, ne *lui en* donne pas. Mais à l'impératif affirmatif, on dira : donne-le-*moi*, donne-le-*lui*, donne-lui-*en*.
(Attention! On doit dire : Tu *me* [présentes] *à eux*.)

53 **A partir de l'exemple, construisez des phrases semblables avec les éléments donnés :**

Exemples

a Partir/manger
Dormir/lire
Traverser/regarder
Parler/réfléchir

Avant de partir, je mange.
Après avoir mangé, je pars.

b Entendez-vous quelqu'un?
Voyez-vous quelque chose?
Reconnaissez-vous quelqu'un?
Comprenez-vous quelque chose?

Non, je n'entends personne.
Oui, je crois entendre quelqu'un.

c Après avoir réfléchi, lu, compris, écouté...

Après avoir réfléchi, j'ai pu résoudre mes problèmes.

d Vouloir
Souhaiter
Regretter
Offrir

Nous voulons cela.
Nous ne voulons pas cela.
Cela, nous le voulons.
Cela, nous ne le voulons pas.
Voilà ce que nous voulons.
Voilà ce que nous ne voulons pas.
(Ensuite mettre au passé composé.)

e Le syndicat et les dockers pensaient ainsi?
Les patrons et les ouvriers voulaient cela?
Le patronat et les grévistes souhaitaient cela?
Le professeur et les élèves croyaient cela?

C'est ce que pensait le syndicat mais ce n'est pas ce que pensaient les dockers.

f Ils veulent du pain.
Elle veut du fromage.
Tu veux du poisson.
Vous voulez du chocolat.

Ils ont besoin de pain.
Ils leur faut du pain.
Il leur en faut.
Ils en ont besoin.

g Faites votre enquête.
Interrogez les ouvriers.
Voyez les dockers.
Posez les questions.
Écoutez les conversations.

Je l'ai déjà faite.

54 **Placez chacune des phrases suivantes dans une petite situation que vous imaginerez :**

Vous pouvez le dire à vos amis.
Voilà ce qui me fait réfléchir.
Voilà ce qui ferait plaisir à ta mère.

La vie en images

1 Défilé de mineurs à Merlebach (en Lorraine).
A quelle(s) catégorie(s) sociale(s) appartiennent les hommes et les femmes qui défilent?
Quelles sont les principales revendications des travailleurs?

2 Grève à la régie Renault.
Quelle impression donne ce rassemblement : ordre ou désordre?
Quelles sont les grandes centrales syndicales représentées ici?

3 Meeting en plein air.
Pourquoi les ouvriers lèvent-ils la main?
Quelle semble être la proportion des jeunes, des femmes?

4 Réunion de délégués syndicaux.
Différences d'habillement entre les jeunes et les moins jeunes?
Que lit-on sur les visages? Calme, fatigue, résolution?

5

6

5 Camion militaire pendant la grève des transports.

Qu'est-ce qui montre qu'il s'agit d'un camion militaire?

Les sièges sont-ils confortables?

Est-ce que les deux jeunes femmes montent facilement dans le camion?

6 Grève des éboueurs.

Où se situe la scène? Sur quelle rive de la Seine?

Pourquoi la voiture est-elle entourée de boîtes de toutes sortes?

7 Pommes de terre sur la chaussée, en Bretagne.

A quoi ont servi les tracteurs qu'on voit sur la photo?

Pourquoi les cultivateurs ont-ils jeté leurs pommes de terre sur la chaussée?

7

Les reportages de Sophie : une vedette à Orly

une vedette — pour une homme aussi une personnalité du monde du spectacle — une homme.

1 Sophie — Pardon, monsieur l'agent. Sophie Boni, du journal « France-Informations ». Puis-je m'approcher de l'avion qui arrive de New York? Je dois interviewer Jim Ropers.

est ce que je peux.

2 L'agent — Jim Ropers, la vedette internationale? Passez Madame.

3 Sophie — Bonjour, monsieur Ropers; Sophie Boni de « France Informations ». Avez-vous fait bon voyage?

4 Jim Ropers — Oui : vol sans histoire. L'avion n'a pas été détourné!

5 Sophie — Dites-moi, s'il vous plaît, quels sont vos projets? Préparez-vous un nouveau film?

6 Jim Ropers — Avant de me mettre au travail, je vais rencontrer Anne Morin.

détourner un avion — de faire changer de direction. un pirate de l'air.

commencer à faire quelque chose

une
un partenaire
pour le travail
un collaborateur
un associé

un metteur en scène

tourner un film. Le tournage de ce film a duré
six mois.

celle celui
celles ceux

7 *Sophie*   Celle qui va être votre partenaire dans
               Il faut marier grand-père?
8 *Jim ropers* C'est ça.
               Et puis je tournerai deux films avec
               Henri Carré comme réalisateur.

comme indirect

9 *Sophie*   Je voudrais savoir si vous connaissez
               déjà Paris.
10 *Jim Ropers* Bien sûr. J'y suis déjà venu trois fois.

|Qu'est ce qui| vous plaît

11 *Sophie*   Dites-moi ce qui vous plaît le mieux en
                France?
12 *Jim Ropers* Les cafés et les théâtres,
                mais aussi les bords de la Seine.

Qu'est-ce que vous préférez?

13 *Sophie*   ... ce que vous préférez dans la cuisine
                française?
14 *Jim Ropers* Le coq au vin et la soupe à l'oignon.
15 *Sophie*   Merci, monsieur Ropers; je vous sou-
                haite un bon séjour à Paris.

vais
Après avoir rencontré A, je me mettre au travail.
Après l'avoir rencontré

Tableaux structuraux

1

Est-ce que	vous	tournerez ce film	?
		rencontrerez D.D.	
		verrez cette vedette	
		serez le réalisateur	
		interviewerez Jim	
		monterez une pièce	

Tournerez		ce film	
Rencontrerez		D.D.	
Verrez	- vous	cette vedette	?
Serez		le réalisateur	
Interviewerez		Jim	
Monterez		une pièce	

Je demande si	vous	tournerez ce film
		rencontrerez D.D.
		verrez cette vedette
		serez le réalisateur
		interviewerez Jim
		monterez cette pièce

2

Qu'est-ce que	vous	devez	faire	?
		voulez	dire	
		pouvez	offrir	
Que	devez		avoir	
	voulez	-vous	payer	
	pouvez		répondre	

Dites-moi			devez	faire
			voulez	dire
	ce que	vous	pouvez	offrir
			devez	avoir
Il faut que je sache			voulez	payer
			pouvez	répondre

3

Qu'est-ce qui	te	fait	partir	?
			revenir	
	le		réfléchir	
	les		rire	
			crier	
	vous		tousser	

Il faut nous dire		te	fait	partir
				revenir
	ce qui	le		réfléchir
		les		rire
Nous voudrions savoir				crier
		vous		tousser

4

A	quoi	est-ce que	tu	réfléchis	?
De				ris	
A	qui			penses	
De				parles	

A	quoi		-tu	réfléchis	?
De				ris	
A	qui			penses	
De				parles	

Dis-moi	à	quoi	tu	réfléchis
	de			ris
	à	qui		penses
Je demande	de			parles

5

Quel	est	votre auteur préféré	
Quelle	est	votre prochaine pièce	?
Quels	sont	vos projets	
Quelles	sont	les dernières nouvelles	

Dites-moi	quel	est	votre auteur préféré	
	quelle		votre prochaine pièce	
J'aimerais savoir	quels	sont	vos projets	
	quelles		les dernières nouvelles	

6

Où est-ce qu'	il	ira	?
	elle		
	ils	iront	
	elles		

Où	ira (-t)	-il	?
		-elle	
	iront	-ils	
		-elles	

Je demandais	où	il	irait
		elle	
		ils	iraient
		elles	

7

Quand	est-ce que	tu	partiras	?
			reviendras	
Comment		vous	partirez	
			reviendrez	

Quand	partiras	-tu	?
	reviendras		
Comment	partirez	-vous	
	reviendrez		

Dis	quand	tu	partiras
-moi			reviendras
Dites	comment	vous	partirez
			reviendrez

8

Pourquoi	est-ce qu'il	fait		cela	?
		dit			
		pense			
		raconte			
		explique	-t-il		
		offre			

Je me demande	pourquoi	il	le	fait
				dit
				pense
				raconte
J'aimerais savoir			(l')	explique
				offre

Grammaire

L'INTERROGATION

Est-ce que tu viendras?
(Viendras-**tu**? — Noter l'inversion du sujet.)

Je demande **si tu** viendras. (Noter qu'il n'y a pas d'inversion.)

Qui est-ce qui vient?   **Qui est-ce que** tu vois?
(**Qui** vient?)   (**Qui** vois-**tu**?)
Je demande **qui** vient.   Je demande **qui** tu vois.

Qu'est-ce qui te chagrine?   **Qu'est-ce que** tu veux?
Je demande **ce qui** te chagrine. (**Que** veux-**tu**?)
                          Je demande **ce que** tu veux.

A quoi penses-tu?
Je demande **à quoi** tu penses.

Quels sont vos projets?
Dites-moi **quels sont** vos projets.

Où est-**il**?
Dites-moi **où il** est.

Quand viendrez-**vous**?
Je voudrais savoir **quand vous** viendrez.

Pourquoi a-t-il fait cela?
Je demande **pourquoi il** a fait cela.

Comment es-**tu** venu?
Dis-moi **comment tu es** venu.

« JE PEUX, JE PUIS »

Est-ce que je **peux** sortir? (je **puis** sortir : *français écrit*).
Je **peux** sortir? (je **puis** : *français écrit*).
ou :
Puis-je sortir? (Cette forme est la seule employée pour la 1re personne, dans l'interrogation avec inversion.)

		Exemples
55	**A partir de l'exemple, construisez des phrases semblables avec les éléments donnés :**	
a	Aimer jouer la comédie. Vouloir être le réalisateur. Souhaiter tourner un film Préférer faire du théâtre.	*Aimeriez-vous jouer la comédie? Je demande si vous aimeriez jouer la comédie.*
b	Qu'est-ce que vous deviez faire? Qu'est-ce que nous pouvions répondre? Qu'est-ce qu'ils devaient apporter? Qu'est-ce que vous vouliez offrir?	*Que deviez-vous faire?* *J'aimerais que vous me disiez ce que vous deviez faire.*
c	Qu'est-ce qu'il aurait dû faire? Qu'est-ce que nous aurions pu préparer? Qu'est-ce qu'elle aurait voulu manger? Qu'est-ce que vous espériez trouver?	*Qu'aurait-il dû faire?* *Dites-moi, je vous prie, ce qu'il aurait dû faire.*
d	Il part. Elle tousse. Vous riez. Tu sors.	*Qu'est-ce qui le fait partir?* *Il ne faut pas qu'il parte!* *Il faut qu'il nous dise ce qui le fait partir.*
e	Vous réfléchissiez? Il réfléchissait? Vous riiez? (de). Ils pensaient?	*A quoi réfléchissiez-vous?* *Pourriez-vous me dire à quoi vous réfléchissiez?*
f	Tu penses? Elle parle? Ils écrivent? Vous téléphonez?	*A qui penses-tu?* *Pourquoi ne dis-tu pas à qui tu penses?*
g	Votre vedette préférée. Vos problèmes. Ses ennuis.	*Quelle est votre vedette préférée?* *Je voulais savoir quelle était votre vedette préférée.*
56	**Imaginez le dialogue suivant :** Un journaliste vient interviewer la centenaire du village qui est un peu sourde; il doit souvent répéter ses questions de manière indirecte.	*Je vous demande si...*

La vie en images

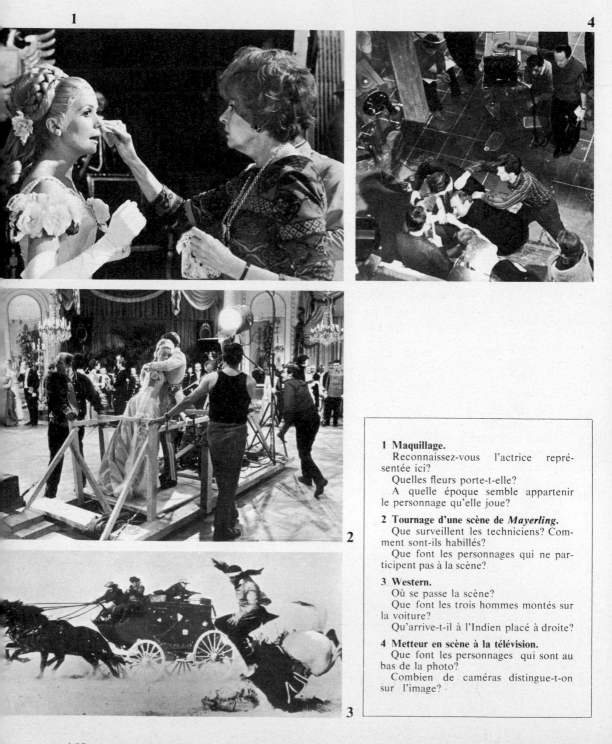

1 **Maquillage.**
Reconnaissez-vous l'actrice repré-
sentée ici?
Quelles fleurs porte-t-elle?
A quelle époque semble appartenir
le personnage qu'elle joue?

2 **Tournage d'une scène de _Mayerling_.**
Que surveillent les techniciens? Comment sont-ils habillés?
Que font les personnages qui ne par-
ticipent pas à la scène?

3 **Western.**
Où se passe la scène?
Que font les trois hommes montés sur
la voiture?
Qu'arrive-t-il à l'Indien placé à droite?

4 **Metteur en scène à la télévision.**
Que font les personnages qui sont au
bas de la photo?
Combien de caméras distingue-t-on
sur l'image?

[handwritten: c'est dommage qu'ils ne puissent pas venu. Je regrette que — avant de se coucher, on regardera la télé.]

Un western

[handwritten: metteur-en-scène.]

Elle — Les Martin ont téléphoné ce matin. Leur fille est malade. Ils ne pourront pas venir dîner demain soir à la maison

Lui — C'est dommage... Mais on se couchera plus tôt, après avoir regardé un peu la télé.

Elle — J'aimerais mieux sortir. Il y a deux mois que nous ne sommes pas allés au cinéma. Justement, dans une petite salle des Champs-Élysées, on passe un film de François Truffaut, *Domicile conjugal*. On pourrait y aller, après ton bureau.

Lui — Truffaut? C'est un jeune cinéaste, je crois. Je me demande ce que je vais comprendre à son film. Tu te rappelles quand tu m'as emmené voir *L'Année dernière à Marienbad*? J'ai eu mal à la tête pendant trois jours.

[handwritten: ne t'en fais pas!]

[handwritten: Ne t'inquiète pas ne te pas de souci!]

Elle — N'aie pas peur! C'est une histoire simple : un mari abandonne sa femme, puis regrette ce qu'il a fait. Bien sûr, à la fin, elle lui pardonne.

Lui — Si nous allons au cinéma, j'aimerais mieux voir *Il était une fois dans l'Ouest*. C'est un western, avec beaucoup d'action et une musique formidable.

[handwritten: en films d'aventur]

Elle — Je me demande si c'est un film aussi bon qu'on le dit, mais allons le voir, puisque tu en as envie. Et, après le cinéma, emmène-moi manger une douzaine d'huîtres dans un restaurant. Comme ça, je n'aurai pas de cuisine à faire en rentrant à la maison.

[handwritten: quand je rentrerai]

[handwritten: les problèmes conjugaux]

[handwritten: Qu'est-ce que je vais comprendre?]

Les reportages de Sophie : un hold-up

Il était 16 heures; la banque allait fermer.

A cette heure-là, le hall était vide; il n'y avait plus de clients.

Derrière les guichets, deux employés seulement, et, dans sa cage, le caissier.

Tout à coup, cinq hommes sortirent d'une voiture toute blanche et foncèrent dans le hall. Deux d'entre eux avaient des pistolets, un autre, une mitraillette.

170

un cambriolage — chez un personne
cambrioleur

un temps menaçant.
un attack attaque à main armée,

Ils menacèrent de leurs armes les employés. Deux autres bandits coururent à la caisse et forcèrent le caissier à leur donner tout l'argent du coffre : 600 000 francs en billets tout neufs.

Puis les bandits partirent, en tirant quelques coups de pistolet qui, fort heureusement, n'atteignirent personne, et ils se jetèrent dans leur voiture, qui démarra à toute vitesse.

atteindre -
toucher

L'affaire n'avait pas duré trois minutes. Les employés terrorisés étaient restés immobiles, sans dire un mot.

La police se demande si ce ne sont pas les mêmes bandits qui ont attaqué un bureau de poste la semaine dernière. On saura peut-être bientôt ce qu'ils ont fait de leur voiture : cela facilitera les recherches.

Tableaux structuraux

1

Elle a	un	nez	tout	petit mince
	une	robe	toute	blanche neuve
	des	cheveux	tout	bruns blonds
		joues	toutes	rondes roses

2

La veste		tout	abîmée
Sophie		*ou*	heureuse
La cave		toute	humide
	est		
C'		tout	nouveau neuf plein sale froid

3

Il est parti,	il n'a pas	salué
		dit un mot
		attendu
		prévenu
		déjeuné
		payé

Il est parti	sans	saluer
		dire un mot
		attendre
		prévenir
		déjeuner
		payer

4

Ils se	(s') suivent	et ils ne se	(s') voient	pas
	en vont		excusent	
	cherchent		trouvent	
	regardent		reconnaissent	
	parlent		comprennent	
	promènent		(s') arrêtent	

Ils se	(s') suivent	sans se	voir
	en vont		(s') excuser
	cherchent		trouver
	regardent		reconnaître
	parlent		comprendre
	promènent		(s') arrêter

5

Il sortit	et il	n'	acheta essaya emporta	pas	de costumes
Ils partirent	et ils		achetèrent essayèrent emportèrent		les costumes

Il sortit		sans	en	acheter essayer emporter
Ils partirent			les	acheter essayer emporter

6

Si tu veux	venir / traverser / partir / entrer / répondre / acheter	tu n'as qu'à	téléphoner / regarder / prévenir / sonner / réfléchir / choisir

Tu ne dois pas	venir / traverser / partir / entrer / répondre / acheter	sans	téléphoner / regarder / prévenir / sonner / réfléchir / choisir

7

Les coups de pistolet / Les coups de mitraillette / Les bandits / Les employés / L'affaire / La police	fort heureusement	n'atteignirent personne / ne blessèrent pas les employés / ne tuèrent pas le caissier / restèrent immobiles / ne dura que trois minutes / arrêta les bandits

8

Plusieurs / Deux / Quelques-uns / L'un	d'entre	eux	menacèrent les employés et le caissier / atteignirent le coffre de la banque / ouvrirent le coffre / remplirent leur sac de billets / sortirent en tirant quelques coups de pistolets / se jetèrent dans leur voiture / mit la voiture en marche / conduisit à toute vitesse

9

Heureux	heureuse	heureuse	
Malheureux	malheureuse	malheureuse	
Dangereux	dangereuse	dangereuse	
Paresseux	paresseuse	paresseuse	ment
Long	longue	longue	
Prochain	prochaine	prochaine	
Ancien	ancienne	ancienne	
Nouveau	nouvelle	nouvelle	
Dernier	dernière	dernière	
Doux	douce	douce	

10

Rapide	rapide	
Aimable	aimable	
Utile	utile	
Inutile	inutile	
Juste	juste	
Agréable	agréable	ment
Calme	calme	
Libre	libre	
Vrai	vrai	

(handwritten top:) Tout est toujours 3ᵉ personne singulier.

Grammaire

(handwritten:) 3ᵉ groupe

(handwritten:) prendre et apprendre !

(handwritten:) je pris   il prit fit   ils prirent.

(handwritten:) Ne confondre pas avec le Pronoun →

(handwritten:) tout est le contraire de rien.

(handwritten box top right:) Confondre pas adverbe avec pronoun.
il comprend tout
il n'comprend rien
tout va bien !
Tout s'est passé !

« TOUT » DEVANT UN ADJECTIF

(masculin) { Voilà un chapeau **tout** neuf (tout = tout à fait).
{ Voilà des chapeaux **tout** neufs.

(handwritten:) toutes + adj. féminin. pluriel.

(féminin) { Voilà une robe **tout** abîmée (ou : **toute** abîmée).
{ Voilà une fille **tout** heureuse (ou **toute** heureuse).

(handwritten:) La liaison se fait automatiquement

(handwritten:) les filles toutes petites

(féminin) { Voilà une robe **toute** neuve, **toute** prête.
{ (**n** *et* **p** = *consonnes*)

(handwritten:) elles sont toutes contentes

Tout, devant un adjectif masculin, est invariable.
Tout, devant un adjectif féminin commençant par une voyelle, *peut* devenir **toute**.
Tout, devant un adjectif féminin commençant par une consonne, *doit* devenir **toute**.

(handwritten:) Toutes + fem. pluriel

« SANS SALUER »

(handwritten:) vouloir ! passé simple

(handwritten:) vouloir   je voulus   il voulut   il voulurent

= Il est entré **et** il **n'a pas** salué.
= Il est entré **sans** saluer.

(handwritten:) pouvoir : je pus   elle put   elles purent

C'est le contraire de : il est entré *en saluant* (voir leçon 13).

(handwritten:) dire   je dis   tu dit   ils dirent
(handwritten:) faire !   je fis   elle fit   ils firent
(handwritten:) voir !   je vit   il vit   ils virent

LE PASSÉ SIMPLE

remplir	sortir	mettre
(je remplis)	(je sortis)	(je mis)
(tu remplis)	(tu sortis)	(tu mis)
il remplit	il sortit	il mit
(nous remplîmes)	(nous sortîmes)	(nous mîmes)
(vous remplîtes)	(vous sortîtes)	(vous mîtes)
ils remplirent	ils sortirent	ils mirent

atteindre (éteindre)	conduire
(j'atteignis)	(je conduisis)
(tu atteignis)	(tu conduisis)
il atteignit	il conduisit
(nous atteignîmes)	(nous conduisîmes)
(vous atteignîtes)	(vous conduisîtes)
ils atteignirent	ils conduisirent

(handwritten bottom:) vivre   je vécus   ils vécut   elle vécut
(handwritten bottom:) savoir :   je sus   elle sut   ils surent

devoir   dus   dut   ils durent
croire   crois   crut   ils crurent
recevoir

⟶ *Il sait Tout ? Il n'sait partout.* *199 texte*
Il n'se a tout compris.
Il se souvient de tout. Il a pensé à tout

---

57 **A partir de l'exemple, construisez des phrases sem-** | **Exemples**
blables avec les éléments donnés :

a | Une robe neuve, des billets neufs, une tête ronde, des yeux verts, une pièce sombre, un costume neuf. | *Voilà une robe toute neuve.*

b | Un petit nez, une vieille robe, une petite bouche, de petites dents. | *Le bébé a un nez tout petit.*

dents toutes petites

c | Neuf, propre, chaud, nouveau. | *Ce n'était pas tout neuf, c'était même très vieux.*

d | Il est parti et il n'a pas payé.
Elle s'est couchée et elle ne s'est pas déshabillée.
Ils tirèrent et ils n'atteignirent personne.
Vous avez mangé et vous n'aviez pas faim. | *Il est parti sans payer.*

Les deux sujet sont identiq.

e | Ils se suivront et ils ne se verront pas.
Nous nous cherchions et nous ne nous trouvions pas.
Elles se parleront et elles ne se comprendront pas.
Il partira et ne se retournera pas. | *Ils se suivront sans se voir.*

f | Elle est partie sans dire au revoir à ses collègues.
Il s'est assis et il n'a pas dit un mot à Pierre.
Elle est sortie et elle ne nous a pas salués. | *Elle est partie sans leur dire au revoir.*

g | Ils sont allés au cinéma sans emmener les enfants?
Elle est sortie de la classe sans saluer le professeur?
Ils sont sortis du café sans parler au garçon? | *Oui, ils y sont allés sans les emmener.*

58 **Mettez la phrase suivante au passé simple : (je, il, ils).**

Je sors la voiture, je remplis le réservoir et je m'en vais; je conduis sans m'arrêter jusqu'à Bordeaux que j'atteins vers 18 heures. Je mets sept heures à faire la route.

59 **Racontez :** le hold-up ou le vol le plus extraordinaire que vous connaissiez.

---

venir   je vins   il vint   ils vinrent
tenir   je tins   elle tint   elles tinrent

Handwritten at top:

pronoms

Tu as lu tous ces livres.

La vie en images

Je les ai tous lus,

Je les ai tous lus,

Elle connaît toutes les chansons de Moustaki

1 Hold-up.
  Qu'est-ce que les bandits ont sur le visage?
  Pourquoi celui du milieu porte-t-il des gants?
  Que contient le coffre-fort?

2 Caissier attaqué.
  Qu'est-ce que la jeune femme tient dans la main droite?
  Que fait le caissier? Pourquoi?

3 Attaque d'un camion postal.
  Que transporte-t-on dans ce camion?
  Où est placé le chauffeur du camion? Que fait-il?
  Pourquoi la voiture des bandits est-elle en travers de la rue?
  Qu'est-ce que les bandits ont sur la tête et sur le visage? Qu'ont-ils dans les mains?

4 Religieuses dans les rues de Paris.
  Comment sont-elles habillées?
  Est-ce que ce sont de vraies religieuses?
  En quelle saison se passe la scène?

176

[annotations manuscrites:]
adjectifs indéfinis
pronoms indéfinis

Masculin ⎱ Singulier
Féminin ⎰
M. ⎱ Pluriel
F ⎰

Tout le jardin est fleuri
Il aimes Toutes la maison
Tous les étudiants ont leur livres
J'ai lu toutes ces histoires

Les dangers de l'áuto-stop

Il y a beaucoup de jeunes qui font de l'auto-stop. Ils n'ont presque pas d'argent et pourtant ils ont envie de voyager; alors ils sont tout heureux de trouver un automobiliste complaisant. Souvent, Albert va dans le Midi; il s'arrête pour prendre un ou deux auto-stoppeurs. Il bavarde avec eux et le temps lui semble moins long.

Une fois, à la sortie de Lyon, il remarqua deux religieuses qui lui faisaient signe. Des religieuses, il ne pouvait pas les laisser seules sur la route. Il les fit monter dans sa voiture. Il essaya de leur parler. Elles ne répondaient presque rien et elles avaient une grosse voix. Bientôt, il leur trouva un air bizarre. Il avait lu dans un journal qu'une banque avait été attaquée par deux bandits quelques jours auparavant. Il pensa : « Ces bandits ont pu s'habiller en religieuses et c'est peut-être eux qui sont assis derrière moi. » Alors il eut peur et, peu après, en traversant Vienne, il s'arrêta devant un hôtel en expliquant aux deux stoppeuses qu'il n'allait pas plus loin. Elles s'en allèrent rapidement sans le remercier.

Après dîner, la radio annonça : « On vient d'arrêter, près de Vienne, les auteurs du hold-up de la Banque populaire. Ils avaient pris des habits de religieuses et faisaient de l'auto-stop. Malheureusement pour eux, ils ont stoppé une voiture de la police et un gendarme les a reconnus : ils portaient de grosses chaussures d'hommes! »

Eh bien! Albert l'avait échappé belle...

Les reportages de Sophie :
Les 24 heures du Mans

Cette année, Sophie assiste aux courses automobiles du Mans : elle remplace son collègue Jean-Luc Leblanc, qui est malade. Les 24 heures du Mans se courent en juin.

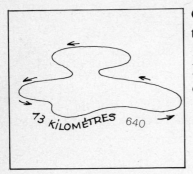

C'est la plus grande course automobile internationale, avec celles d'Indianapolis et de Monza.
Le circuit fait exáctement 13 kilomètres 640.
La voiture gagnante de l'épreuve est celle qui parcourt le plus de kilomètres en 24 heures.

13 KILOMÈTRES 640

Le Directeur de la course a donné le signal du départ, en abaissant son drapeau. Aussitôt les pilotes démarrent dans le vacarme des moteurs.

[annotations manuscrites :]
haupfog...
suivi d'un **infinitif**.
Il est parti sans rien dire.
Il est parti sans avoir déjeuné.
Sans que + subjonctif. Il est parti sans que je puisse lui donner mon adresse

Chaque voiture (Porsche, Ford, Ferrari, Matra, etc.) a son numéro; chacune a ses ravitailleurs et ses mécaniciens qui, de temps à autre, feront le plein (en 50 secondes)

[annotations :]
chaque + singulier
pronom chacun(e)
→ ravitailleurs
→ faire le plein

et changeront les roues (en une minute 50 secondes).

[annotations :]
chaque voiture a son numéro
qui, chacune a le sien
le mien   la mienne   les miens
le tien   la tienne   les tiens
le sien   la sienne   les siens
celui qui conduisait les voitures...

En même temps, les pilotes seront relayés par leur camarade d'équipe.
Le record des 24 heures est d'environ 5 000 kilomètres, parcourus à la vitesse moyenne de 210 kilomètres à l'heure.

[annotation :] → remplacés

[annotation :] briser = casser

Il y a quelques années, une terrible catastrophe s'est produite : le moteur d'une voiture explosa en pleine course. Ses débris détruisirent tout sur leur passage et firent des dizaines de morts parmi les spectateurs.

[annotations :]
la nôtre   les nôtres
vôtre   vôtres
leur   leurs

Tableaux structuraux

1

On court	les 24 heures du Mans		en	mai
	les épreuves d'Indianapolis			
	Le Tour de France			juillet
	Le Rallye de Monte-Carlo			hiver
	le Prix de l'Arc de Triomphe			octobre
	le Derby d'Epsom			juin

Les 24 heures du Mans	se courent	en	mai
Les épreuves d'Indianapolis			
Le Tour de France			juillet
Le Rallye de Monte-Carlo	se court		hiver
Le Prix de l'Arc de Triomphe			octobre
Le Derby d'Epsom			juin

2

On	voit cette maison	d'ici
	suit la course	
	regarde l'épreuve	
	entend l'explosion	
	éteint l'électricité	
	allume la lampe	

Cette maison	se	voit	d'ici
La course		suit	
L'épreuve		regarde	
L'explosion		entend	
L'électricité	s'	éteint	
La lampe		allume	

3

Une catastrophe	se	produira
Une explosion		
Un changement		
Des villes		construiront
Des routes		
Des barrages		

Une catastrophe	s'est	produite
Une explosion		
Un changement		produit
Des villes	se sont	construites
Des routes		
Des barrages		construits

4

Chaque	touriste	a	son passeport
			ses billets
			ses bagages
	voiture		son numéro
			ses mécaniciens
			ses ravitailleurs

Chacun	touristes	des	a	son passeport
				ses billets
				ses bagages
Chacune	voitures			son numéro
				ses mécaniciens
				ses ravitailleurs

5

Les ingénieurs		ils	chacun	leur bureau		Oui, chacun d'eux		le sien
				leur dactylo				la sienne
	avaient	-		leurs machines	?		avait	les siennes
				leur numéro				le sien
Les voitures		elles	chacune	leurs mécaniciens		Oui, chacune d'elles		les siens
				leurs ravitailleurs				

6

Les touristes		ils	chacun	leur passeport		Non, aucun d'eux		le sien
				leurs billets				les siens
	avaient	-		leurs valises	?		n'avait	les siennes
				leur place				la sienne
Les étudiantes		elles	chacune	leurs livres		Non, aucune d'elles		les siens
				leurs cahiers				

7

Les pilotes			vers	leurs voitures
Les élèves	firent un bond			la sortie
Les aviateurs			dans	le vide
Le nageur				l'eau
Le joueur	fit un bond		sur	le ballon
Le chien				le gibier

8

En		pleine	course nuit vitesse campagne mer
		plein	jour travail centre midi hiver

9

Ce	professeur		sévère
	travail		utile
	peintre	est	célèbre
Cette	blessure		grave
	danse		rapide
	cave		humide

La sévérité		professeur		inutile
L'utilité	de ce	travail		évidente
La célébrité		peintre	est	étonnante
La gravité		blessure		inquiétante
La rapidité	de cette	danse		amusante
L'humidité		cave		ennuyeuse

Grammaire

FORME PRONOMINALE = PASSIF

= **On voit** la maison d'ici.
= La maison **est vue** d'ici.
= La maison **se voit** d'ici.

Une catastrophe **se produira.**

Une catastrophe **s'est produite.**

Le passif est souvent remplacé par la forme pronominale (**il se** voit).

« CHAQUE, CHACUN »

Chaque touriste a son passeport.
= **Chacun** des touristes a son passeport.
Les touristes ont **chacun leur** passeport.

Chaque voiture a son numéro.
= **Chacune** a son numéro.
Les voitures ont **chacune leur** numéro.

LE TEMPS ET LA DURÉE

Il a fait le voyage **en** trois heures.
(Il **a mis** trois heures **pour** faire le voyage.)
Il viendra **dans** trois heures.
Il est là **depuis** trois heures.
(Voir aussi leçons 16 et 17.)

*il dort ~~de~~ depuis dix heures pour
il y a dix heures qu'il dort.*

LE PASSÉ SIMPLE

détruire (construire) ✓

(je détruisis)
(tu détruisis)
il détruisit
(nous détruisîmes)
(vous détruisîtes)
ils détruisirent

faire

(je fis)
(tu fis)
Il fit
(nous fîmes)
(vous fîtes)
ils firent

dire

(je dis)
(tu dis)
il dit
(nous dîmes)
(vous dîtes)
ils dirent

voir

(je vis)
(tu vis)
il vit
(nous vîmes)
(vous vîtes)
ils virent

a, b, c, 17

60 **A partir de l'exemple, construisez des phrases semblables avec les éléments donnés :**	**Exemples**
a On verra mieux l'arrivée, de chez nous. On verra mieux le départ, de là-bas. On suivra mieux la course, du virage.	*L'arrivée se verra mieux de chez nous.* *C'est de chez nous que l'arrivée se verra la mieux.*
b On a couru la descente (de ski) hier. On courra le rallye (automobile) demain. On fera la fête (du village) dans un mois. On a disputé l'épreuve (de saut) hier.	*La descente a eu lieu hier.* *La descente s'est courue hier.* *C'est hier que la descente s'est courue.*
c Les touristes ont leur billet. Les voyageurs portent leurs bagages. Les filles ont leur bicyclette. Les voitures ont leurs mécaniciens.	*Chaque touriste a-t-il son billet?* *Oui, chacun d'eux l'a.* *Les touristes ont-ils chacun leur billet?* *Non, aucun d'eux ne l'a.*
61 **Mettez les verbes entre parenthèses au passé simple :** Ils (construire) des routes et des barrages. Il (voir) tout mais ne (dire) rien. Les vainqueurs (faire) toute la course en restant en tête. On (détruire) un vieux quartier et on en (construire) un moderne. Il (se précipiter) dans l'eau. Les chasseurs (détruire) le gibier de toute la région. Les spectateurs (se précipiter) vers la sortie. Ils (voir) de nombreux pays et (dire) des choses intéressantes. Les ravitailleurs (faire) le plein en 30 secondes.	
62 **Inspirez-vous du dernier paragraphe du texte pour construire des phrases à partir des thèmes indiqués :** Une terrible catastrophe se produit. Une grave explosion se produit. Un changement complet se produit.	*Il y a quelques années, une terrible catastrophe se produisit : le feu détruisit un dancing et fit des dizaines de morts parmi les jeunes danseurs.*
63 **Racontez :** Un grand événement sportif de votre pays. Une grande catastrophe survenue dans votre pays.	

La vie en images

1 Le circuit du Mans.
Qu'est-ce qui distingue une voiture de course d'une voiture ordinaire?
Combien de kilomètres font les vainqueurs?

2 Ravitaillement.
Que font les mécaniciens pendant le ravitaillement?
Où se trouvent les deux pilotes?

Qu'est-ce qui nous montre le rôle de la publicité dans une épreuve de ce genre?

3 Le vainqueur.
Que fait-il pour fêter sa victoire?
Que font les journalistes qui se pressent autour de lui?
Où se trouve le reporter de la radio? Qu'annonce-t-il aux auditeurs? Faites-le parler.

4

5

4 Le départ.
Quel est l'homme qui donne le départ? Que tient-il dans sa main?
Est-ce que le départ a toujours été donné de cette façon-là?

5 L'arrivée.
Décrivez le drapeau que le juge abaisse à l'arrivée.
Pourquoi le drapeau a-t-il cette forme et ces couleurs?

6 Un accident.
Quelle peut-être la cause de cet accident?
Qu'est-ce qui protège le public?
Quel temps fait-il?

7 Rallye en Afrique.
La voiture semble-t-elle en parfait état?
Nature du sol sur lequel elle roule? Combien de phares possède-t-elle? Pourquoi?

6

7

Les reportages de Sophie : un sondage d'opinion avant les élections

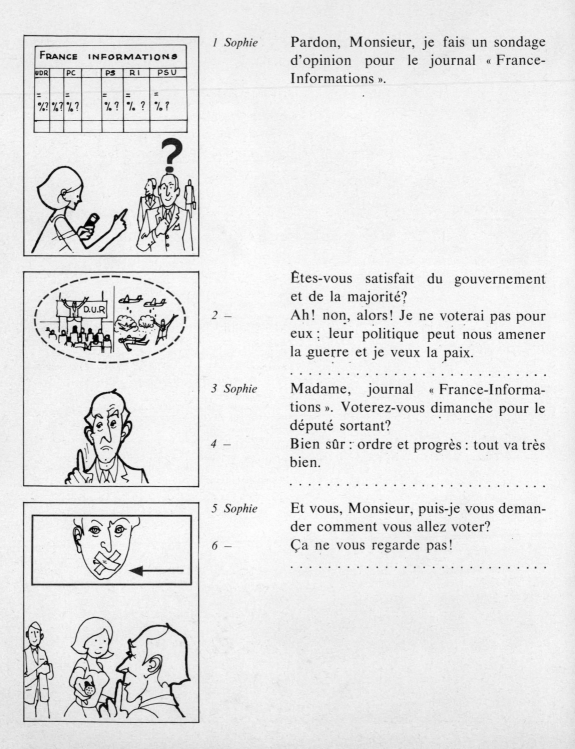

1 *Sophie* Pardon, Monsieur, je fais un sondage d'opinion pour le journal « France-Informations ».

Êtes-vous satisfait du gouvernement et de la majorité?

2 – Ah! non, alors! Je ne voterai pas pour eux : leur politique peut nous amener la guerre et je veux la paix.

. . . .

3 *Sophie* Madame, journal « France-Informations ». Voterez-vous dimanche pour le député sortant?

4 – Bien sûr : ordre et progrès : tout va très bien.

. . . .

5 *Sophie* Et vous, Monsieur, puis-je vous demander comment vous allez voter?

6 – Ça ne vous regarde pas!

. . . .

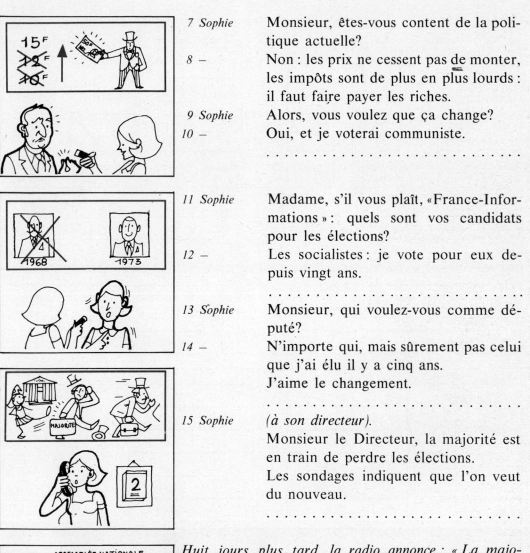

7 *Sophie*	Monsieur, êtes-vous content de la politique actuelle?
8 –	Non : les prix ne cessent pas de monter, les impôts sont de plus en plus lourds : il faut faire payer les riches.
9 *Sophie*	Alors, vous voulez que ça change?
10 –	Oui, et je voterai communiste.

. . . .

11 *Sophie*	Madame, s'il vous plaît, «France-Informations» : quels sont vos candidats pour les élections?
12 –	Les socialistes : je vote pour eux depuis vingt ans.

. . . .

13 *Sophie*	Monsieur, qui voulez-vous comme député?
14 –	N'importe qui, mais sûrement pas celui que j'ai élu il y a cinq ans. J'aime le changement.

. . . .

15 *Sophie*	*(à son directeur).* Monsieur le Directeur, la majorité est en train de perdre les élections. Les sondages indiquent que l'on veut du nouveau.

. . . .

Huit jours plus tard, la radio annonce : « La majorité gagne les élections; le gouvernement reste en place! »

Tableaux structuraux

1

Quel	autobus / train		prendre	
Quelle	robe / chemise	devons-nous	mettre	?
Quels	disques / journaux		acheter	
Quelles	cartes / photos		envoyer	

Prenons		quel	autobus / train
Mettons	n'importe	quelle	robe / chemise
Achetons		quels	disques / journaux
Envoyons		quelles	cartes / photos

Prenons		lequel
Mettons	n'importe	laquelle
Achetons		lesquels
Envoyons		lesquelles

2

(N')	écrivez				
	parlez				
Ne	téléphonez	pas	à	n'importe qui	.
	répondez				
	vous présentez				
	vous adressez				

Écrivez		
Parlez		
Téléphonez	au	directeur
Répondez		
Présentez-vous		
Adressez-vous		

3

Réfléchis		de	parler	
			visiter	
	avant		agir	
		d'	écrire	
Essaye			acheter	
Lis		de	signer	

	dis		
Ne	visite		
	fais	pas	n'importe quoi
	écris		
N'	achète		
Ne	signe		

4

Qui			député / médecin / chirurgien / professeur / ingénieur	
	voulez-vous	comme		?
Que			livre / journal / article / reportage / gouvernement	

	qui
N'importe	
	lequel

188

5

Tu fais	entrer le visiteur payer le client monter le voyageur
	réparer la voiture visiter la cathédrale transporter la malade
	asseoir les invités sortir les élèves voter les électeurs

Tu	le	fais	entrer payer monter
	la		réparer visiter transporter
	les		asseoir sortir voter

Fais-	le	entrer payer monter
	la	réparer visiter transporter
	les	asseoir sortir voter

6

Vous ne faites pas	résoudre le problème lire le reportage entrer le client
	payer l'amende appeler la directrice servir la cliente
	vérifier les freins signer les lettres augmenter les impôts

Vous ne	le	faites pas	résoudre lire entrer
	la		payer appeler servir
	les		vérifier signer augmenter

Ne	le	faites pas	résoudre lire entrer
	la		payer appeler servir
	les		vérifier signer augmenter

7

Il faut faire	payer	les plus riches
	courir	les plus forts
	avancer	les voitures
	reculer	les gens
	attendre	les spectateurs
	partir	les coureurs

Il faut que	les plus riches	payent
	les plus forts	courent
	les voitures	avancent
	les gens	reculent
	les spectateurs	attendent
	les coureurs	partent

8

Je suis satisfait	du	député sortant	mais je le suis moins	du	gouvernement
		sondage d'opinion			résultat des élections
		progrès réalisé			coût de la vie
	de la	majorité actuelle		de la	hausse des prix
J'étais content	des	élections passées		des	impôts nouveaux
		candidats présentés			députés élus

Grammaire

N'IMPORTE QUEL, N'IMPORTE LEQUEL,

N'IMPORTE QUI, N'IMPORTE QUOI

Adjectifs – pronoms indéfinis.

Quel livre dois-je prendre?
= Prends **n'importe quel** livre.
Prends **n'importe lequel**.

Ma femme ne parle pas à **n'importe qui.**
Tu parles sans réfléchir : tu dis **n'importe quoi.**

L'INFINITIF – FAIRE ENTRER

Je dis au visiteur : « Entrez! »
= Je **fais entrer** le visiteur.
Je **ne fais pas entrer** le visiteur.

Avec **faire,** le *nom* est régulièrement après l'infinitif. Mais avec **voir, entendre, laisser,** voir leçon 11.

Je le fais entrer.
Je **ne le** fais **pas** entrer.

Fais-le entrer.
Ne le fais **pas** entrer.

PASSÉ SIMPLE

répondre	entendre (attendre, tendre)	prendre	partir
(je répond**is**)	(j'entend**is**)	(je pr**is**)	(je part**is**)
(tu répond**is**)	(tu entend**is**)	(tu pr**is**)	(tu part**is**)
il répond**it**	il entend**it**	il pr**it**	il part**it**
(nous répond**îmes**)	(nous entend**îmes**)	(nous pr**îmes**)	(nous part**îmes**)
(vous répond**îtes**)	(vous entend**îtes**)	(vous pr**îtes**)	(vous part**îtes**)
ils répond**irent**	ils entend**irent**	ils pr**irent**	ils part**irent**

(9 |

		Exemples
64	**A partir de l'exemple, construisez des phrases semblables avec les éléments donnés :**	
a	Prendre un train Écouter une chanson Acheter des gâteaux Offrir des fleurs	*Quel train allons-nous prendre?* *Prenons n'importe quel train, cela n'a pas d'importance.* *Oui, prenons n'importe lequel.*
b	Écrire au juge Discuter avec les candidats Compter sur ses amis Voter pour les ...	*N'écris pas à n'importe qui, écris au juge.*
c	Inviter les collègues Interviewer la vedette Interroger le député Voir les responsables	*N'invitez pas n'importe qui, invitez les collègues.*
d	Se renseigner avant : d'acheter, de louer. Réfléchir avant : de décider, de commander.	*Renseigne-toi avant d'acheter, n'achète pas n'importe quoi.*
e	Tu fais entrer le visiteur. Vous faites réparer la machine à laver. Tu fais faire le déménagement. Vous faites asseoir les clients.	*Tu le fais entrer.* *Fais-le entrer.*
f	Tu ne fais pas appeler le médecin. Vous ne faites pas faire la réparation. Tu ne fais pas remplir le réservoir. Vous ne faites pas payer les pauvres.	*Tu ne le fais pas appeler.* *Ne le fais pas appeler.*
g	La majorité perdait les élections. La minorité perdait les élections. L'opinion des électeurs changeait. Les prix montaient.	*La majorité était en train de perdre les élections.*
65	**Mettez à la troisième personne du singulier et du pluriel :** Interrogé, je répondis que je voulais sortir. J'attendis un taxi, je le pris et je partis pour le concert où j'entendis de la belle musique.	
66	**Placez chacune des phrases suivantes dans une situation que vous imaginerez :** Ne téléphone pas à n'importe qui, téléphone au directeur. Réfléchis avant d'écrire, n'écris pas n'importe quoi.	

La vie en images

1

2

3

4

1 L'Assemblée nationale.
Où se trouvent assis les députés? Les spectateurs?
Où sont les députés de droite, ceux de gauche?

2 Sondage d'opinion.
Qui mène l'enquête?
Que porte la femme placée au milieu? Que tend-elle à l'automobiliste? Elle vient de lui poser une question : laquelle, par exemple?

3 Panneaux électoraux.
A quelles tendances politiques appartiennent les listes apposées sur les panneaux?
De quel genre d'élection s'agit-il?

4 Parlementaires de l'opposition.
A quoi reconnaît-on les députés représentés ci-dessus?

Une campagne présidentielle

Depuis le référendum de 1962, le Président de la République est élu, en France, au suffrage universel.

Le général de Gaulle, qui était à l'Élysée depuis 1958, démissionna en avril 1969. Une campagne électorale s'ouvrit peu après pour le remplacer.

Il y eut sept candidats. Le plus connu était Georges Pompidou, ancien Premier ministre. Ses principaux adversaires furent : Alain Poher, président du Sénat (centre gauche); Jacques Duclos, sénateur (communiste); Gaston Deferre, député-maire de Marseille (socialiste). Chacun d'eux fit connaître son programme soit à la télévision, soit dans des réunions électorales, soit par des affiches.

Au premier tour, Georges Pompidou eut 44 % des voix, Alain Poher 24 %; Jacques Duclos 22 % et Gaston Deferre 6 %. Le reste des suffrages alla aux trois autres candidats.

Conformément à la Constitution, seuls restèrent en présence, au second tour, les deux candidats qui étaient arrivés en tête au premier. Deux semaines plus tard, Georges Pompidou se vit élu pour sept ans avec 58 % des voix contre 42 % à Alain Poher. Il était le second Président de la Ve République.

POMPIDOU — POHER

58% — 42%

Les reportages de Sophie : le lancement d'un pétrolier

Les Chantiers de l'Atlantique, à Saint-Nazaire, viennent de lancer *l'Orient*, un pétrolier de 500 000 tonnes.
Ce bateau est quelque chose de très moderne.

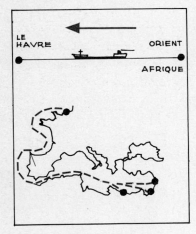

Avec un équipage de 45 hommes seulement, il transportera le pétrole depuis les oléoducs d'Afrique et du Proche-Orient jusqu'aux raffineries du Havre.

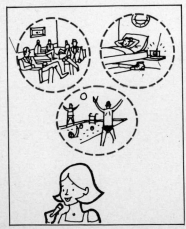

La vie à bord sera confortable : il y aura salon de repos, cabines individuelles, piscine.

Le lancement a eu lieu par un très beau temps. La
« Compagnie nationale des Pétroles » avait invité
une nombreuse assistance; on avait même laissé
entrer une foule de curieux sur les chantiers.

Deux ou trois discours furent prononcés, ce qui
n'a rien d'étonnant; puis, la femme du Président
vint baptiser le pétrolier en brisant une bouteille de
champagne sur la coque, avant que le bateau, long
de 400 mètres, ne glisse lentement vers l'eau.

« Et si, un jour, son pétrole se répandait sur la mer?
direz-vous, quelle pollution! » Mais non! On n'a
rien construit de plus solide que ce navire. Il faut
espérer qu'il ne fera pas naufrage.

Tableaux structuraux

1

Le bébé a crié	
L'enquête a continué	
Le bateau a glissé	
Les clients sont sortis	
Les enfants ont discuté	
Les voyageurs sont descendus	

	crier le bébé
	continuer l'enquête
On a laissé	glisser le bateau
	sortir les clients
	discuter les enfants
	descendre les voyageurs

			crier
	l'	a laissé(s)	continuer
On			glisser
			sortir
	les		discuter
			descendre

2

Le pétrolier		le pétrole		les oléoducs	raffineries
Le camion-citerne		l'essence		les raffineries	pompes à essence
Le car	transportera	les voyageurs	depuis	l'hôtel	ruines antiques
L'ambulance		les ouvriers blessés		l'usine	l'hôpital
Le taxi		les bagages		la gare	l'hôtel
Le porteur		les valises		le train	la sortie

(colonnes : jusqu'aux / jusqu'à)

				jusqu'aux / jusqu'à	

3

	construit		solide	navire
	peint		beau	tableau
On n'a rien	écrit	de plus	important	livre
			terrible	hold-up
	vu		extraordinaire	catastrophe
	entendu		amusant	histoire

(que ce / que cette)

4

Les bateaux		longs				longs
Les navires	plus	solides			de plus en plus	solides
Les pétroliers		modernes	qu'avant	Ils sont		modernes
Les gens	sont	malheureux				malheureux
Les curieux	moins	nombreux			de moins en moins	nombreux
Les discours		longs				longs

5

					espérer
		Laisse	-moi		approcher
		Laissez			sortir
Ne	me	laisse		pas	partir
		laissez			conduire
					choisir

6

					sauter
		Fais	-moi		courir
		Faites			jouer
Ne	me	fais		pas	tomber
		faites			répéter
					parler

7

							étonnant
			appris			d'	inquiétant
			lu				extraordinaire
J'		ai	vu	quelque chose			sensationnel
			acheté			de	chaud
Je	n'	rien	bu				bon
			mangé				

8

		rencontré			gentil
		connu			aimable
Elle	a	aimé	quelqu'un	de très	riche
		vu			paresseux
		soigné			malade
		aidé			sympathique

9

		nombreuse
La foule		curieuse
L'assistance	est	intéressée
Le public		mécontent
Le personnel		surpris
		étonné
Les gens	sont	bruyants

10

	étoffe		épaisse
	pomme		grosse
Cette	laine	est	douce
	soie		blanche
	valise		large
	maison		grande

	son épaisseur	
	sa grosseur	
Oui, c'est pour	sa douceur	que je l'ai choisie
	sa blancheur	
	sa largeur	
	sa grandeur	

Grammaire

L'INFINITIF AVEC « LAISSER », « FAIRE » (Voir leçon 24).

Ma tasse est tombée.
J'ai **laissé tomber** ma tasse.
Je l'ai **laissée** (**laissé**) **tomber.**

Laisse-**le** tomber.
Ne le laisse **pas** tomber.

Laisse-**moi** entrer — Fais-**moi** entrer.
Ne me laisse **pas** entrer — **Ne me** fais **pas** entrer.

« RIEN DE NOUVEAU »

J'ai appris **quelque chose de** nouveau.
Je n'apprends **rien de** nouveau.
Cet homme est **quelqu'un de** très gentil.

LE PASSÉ SIMPLE

suivre	écrire	tenir	venir
(je sui**vis**)	(j'écri**vis**)	(je **t**ins)	(je **v**ins)
(tu sui**vis**)	(tu écri**vis**)	(tu **t**ins)	(tu **v**ins)
il sui**vit**	il écri**vit**	il **t**int	il **v**int
(nous suiv**îmes**)	(nous écriv**îmes**)	(nous **t**înmes)	(nous **v**înmes)
(vous suiv**îtes**)	(vous écriv**îtes**)	(vous **t**întes)	(vous **v**întes)
ils suiv**irent**	ils écriv**irent**	ils **t**inrent	ils **v**inrent

pouvoir	vouloir
(je p**us**)	(je voul**us**)
(tu p**us**)	(tu voul**us**)
il p**ut**	il voul**ut**
(nous p**ûmes**)	(nous voul**ûmes**)
(vous p**ûtes**)	(vous voul**ûtes**)
ils p**urent**	ils voul**urent**

		Exemples
67	**A partir de l'exemple, construisez des phrases semblables avec les éléments donnés :**	
a	Les ouvrières sont sorties. Le bateau a glissé. Les gens sont entrés. Les meilleurs ont joué.	*On a vu sortir les ouvrières.* *On les a vues (vus) sortir.*
b	Les pétroliers transportent-ils tout le pétrole? Le déménageur transporte-t-il tous les meubles? Le bateau transporte-t-il toutes les voitures? Le camion transporte-t-il toutes les caisses?	*Oui, depuis les oléoducs* *jusqu'aux raffineries.*
c	On construit des navires solides. On a lu un article intéressant. On a bu un bon vin. On a fait de bons gâteaux.	*On n'a rien construit de plus* *solide que ces navires.*
d	Entrer/attendre Entrer/prendre froid	*Laissez-moi entrer, ne me* *faites pas attendre.* *Faites-moi entrer, ne me* *laissez pas attendre.*
e	Ce que j'ai appris : est extraordinaire. n'est pas extraordinaire. Ce qu'il a lu : est inquiétant. n'est pas inquiétant. Ce que nous avons vu : est étonnant. n'est pas étonnant.	*J'ai appris quelque chose* *d'extraordinaire.* *Je n'ai rien appris d'extra-* *ordinaire.*
f	Nous avons rencontré une personne très gentille. Ils ont connu une femme très riche. J'ai soigné un vieillard très malade. Elle est sortie avec un garçon sympathique.	*Nous avons rencontré quel-* *qu'un de très gentil.* *Nous n'avons rencontré per-* *sonne de très gentil.*
68	**Mettez les phrases suivantes au passé simple :** **(je, il, ils)** Je veux partir au bord de la mer : j'écris et je retiens une chambre à l'hôtel. Je suis venu à Paris et j'ai suivi des cours sur l'informatique; j'ai pu ainsi trouver une bonne place.	
69	**Composez des phrases sur les thèmes suivants :** La pollution de nos rivières, de nos mers, de l'air.	*La pollution de nos rivières* *est si grande que tous les* *poissons meurent et que...*

La vie en images

1
2
3
4

1 Puits de pétrole en Libye.
Pourquoi y a-t-il de la fumée au-dessus des puits?
A quoi voit-on que la scène se passe dans le désert?

2 Forage à Port-Gentil (Gabon).
Que font les ouvriers?
Que portent-ils sur la tête? Pourquoi?

3 Forage sous-marin (Las Palmas, Grande Canarie).
Y a-t-il beaucoup de pétrole sous la mer?
Quelles sortes de bateaux y a-t-il autour du puits?

4 Pétrolier.
Quel est le tonnage des grands pétroliers modernes?
Savez-vous combien la France consomme de pétrole par an? Et votre pays?

5   6   7

5 Raffinerie (Frontignan, France).
A quoi sert une raffinerie de pétrole?
Comment s'appellent les tuyaux pour le transport du pétrole?

6 Réservoir (Brindisi, Italie).
Quelle est la forme du réservoir?
Comment peut-on monter sur le réservoir?

7 Camion-citerne (Sahara).
Combien de pneus a le camion? Pourquoi sont-ils aussi gros?
L'homme aux lunettes noires est-il un ouvrier?

8 Marée noire sur une plage de Bretagne.
Est-ce que la scène se passe à marée basse ou à marée haute?
Pourquoi les touristes ont-ils tous des chaussures?

8

Le monde d'aujourd'hui

1 Sophie Dis donc, Marco, une machine à laver la vaisselle me serait bien utile. Je perds beaucoup de temps à faire la vaisselle moi-même.

2 Marco Bon! encore un appareil ménager... Après ça il te faudra un nouvel aspirateur ou une cuisinière électrique...

3 Sophie Mais il faut suivre le progrès du monde moderne!

4 Marco Oh! tout n'est pas beau dans ce monde moderne; et les jeunes ont raison de contester une société qui ne pense qu'à l'argent et au confort.

5 Sophie Pourtant tu en profites, toi, de l'auto, du réfrigérateur, des loisirs.

6 Marco Comment faire autrement? Mais il est difficile d'accepter que les uns aient tout, les autres rien.

Je pense aux pauvres, à tous ceux qui ont faim, aux vieillards dont la vie est parfois si dure...

7 *Sophie*   Comme toi, je crois que c'est difficile à accepter. Je te comprends très bien, tu sais; je ne suis pas une égoïste.

8 *Marco*   Bien sûr, ma chérie; si tu avais été une égoïste, je ne t'aurais pas épousée.

9 *Sophie*   Il faut espérer que la science apportera un jour enfin le bonheur à l'humanité.

10 *Marco*   Les savants y travaillent.

11 *Sophie*   Les savants, et tous ceux qui croient aux valeurs spirituelles, les meilleurs des chrétiens, les jeunes qui veulent construire une société plus juste, où l'homme aimera vraiment son prochain comme son frère.

Tableaux structuraux

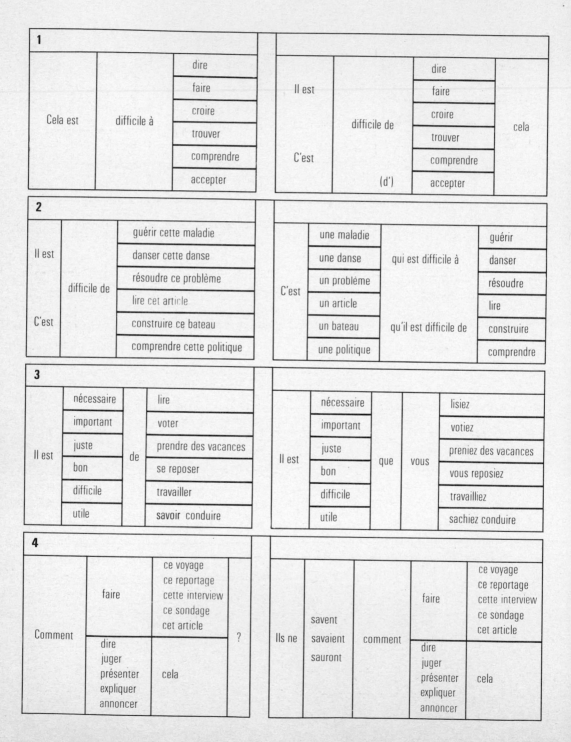

1

Cela est	difficile à	dire
		faire
		croire
		trouver
		comprendre
		accepter

Il est	difficile de	dire	cela
		faire	
		croire	
		trouver	
C'est		comprendre	
	(d')	accepter	

2

Il est	difficile de	guérir cette maladie
		danser cette danse
		résoudre ce problème
		lire cet article
C'est		construire ce bateau
		comprendre cette politique

C'est	une maladie	qui est difficile à	guérir
	une danse		danser
	un problème		résoudre
	un article		lire
	un bateau	qu'il est difficile de	construire
	une politique		comprendre

3

Il est	nécessaire	de	lire
	important		voter
	juste		prendre des vacances
	bon		se reposer
	difficile		travailler
	utile		savoir conduire

Il est	nécessaire	que	vous	lisiez
	important			votiez
	juste			preniez des vacances
	bon			vous reposiez
	difficile			travailliez
	utile			sachiez conduire

4

| Comment | faire | ce voyage ce reportage cette interview ce sondage cet article | ? |
| | dire juger présenter expliquer annoncer | cela | |

| Ils ne | savent savaient sauront | comment | faire | ce voyage ce reportage cette interview ce sondage cet article |
| | | | dire juger présenter expliquer annoncer | cela |

5

Où	installer la machine à laver	?
	acheter la cuisinière	
	mettre l'aspirateur	
	placer le réfrigérateur	
	ranger les appareils ménagers	
	poser les lampes	

Dites-moi	où	l'	installer		
			acheter		
		le	mettre		
			placer		
		les	ranger		
			poser		

Installez	la		
Achetez			n'importe où
Mettez	le	-	où vous pourrez
Placez			
Rangez	les		
Posez			

6

Quoi	faire	pour	suivre le progrès / aider les recherches / comprendre les jeunes	?
	prendre		aller à la banque / revenir du port / sortir de la ville	
Que	dire		défendre les malheureux / gagner les élections / expliquer la grève	

Il ne sait	quoi	faire	
		prendre	
	que	dire	

Dites-lui	ce qu'	il doit	faire
			prendre
			dire

7

Qui	inviter	?
	appeler	
	emmener	
	attendre	
	choisir	
	réveiller	

Elle ne sait qui	inviter
	appeler
	emmener
	attendre
	choisir
	réveiller

Je me demande qui elle	invitera
	appellera
	emmènera
	attendra
	choisira
	réveillera

8

Travaillent		au	bonheur des hommes	?
Participent			progrès du monde moderne	
Pensent	- ils	à l'	utilité des loisirs	
Croient			valeurs spirituelles	
Assistent		aux	progrès de la société	
Réfléchissent			dangers de l'entreprise	

Ils	y	ont	travaillé
			participé
			pensé
			cru
			assisté
			réfléchi

Ils vont	y	travailler
		participer
		penser
		croire
		assister
		réfléchir

Grammaire

C'est difficile de resoudre les problems
complient
C'est important d'y croire.

« DIFFICILE DE, DIFFICILE À »

Il est **difficile de** dire **cela**.
= C'est **difficile** <u>de</u> dire **cela**.
= **Cela** est **difficile à** dire.

Quand le verb est suivi d'un complient,
C'est + adj. + à + verb
Depends on whether there is complient.
C'est + adj. + de + verb + complient.

« COMMENT FAIRE? »

Comment faire ce voyage?	= Je ne sais **comment faire** ce voyage.
Où aller cet été?	= Je ne sais **où aller**.
Quoi faire pour l'aider?	= Je ne sais **quoi faire**.
Que faire pour l'aider? (français écrit)	= Je ne sais **que faire**. (français écrit)
Qui inviter? Pierre? ou Jean?	= Je ne sais **qui inviter**.

Un mot interrogatif suivi de l'infinitif exprime l'hésitation.

LE PASSÉ SIMPLE

lire

(je lus)
(tu lus)
il lut
(nous lûmes)
(vous lûtes)
ils lurent

croire

(je crus)
(tu crus)
il crut
(nous crûmes)
(vous crûtes)
ils crurent

courir

(je courus)
(tu courus)
il courut
(nous courûmes)
(vous courûtes)
ils coururent

boire

(je bus)
(tu bus)
il but
(nous bûmes)
(vous bûtes)
ils burent

vivre

(je vécus)
(tu vécus)
il vécut
(nous vécûmes)
(vous vécûtes)
ils vécurent

mourir

(je mourus)
(tu mourus)
il mourut
(nous mourûmes)
(vous mourûtes)
ils moururent

recevoir

(je reçus)
(tu reçus)
il reçut
(nous reçûmes)
(vous reçûtes)
ils reçurent

falloir

il fallut

70 **A partir de l'exemple, construisez des phrases semblables avec les éléments donnés :**	**Exemples**
a Il est difficile de soigner ce malade. Il est facile de défendre cette politique. C'est facile de suivre ce discours. C'est difficile de faire cette moyenne (250 km-heure).	*Oui, c'est un malade qu'il est difficile de soigner.* *C'est un malade qui est difficile à soigner.*
b Comment préparer la soupe à l'oignon? (elles) Comment préparer le coq au vin? (nous) Comment faire la mayonnaise? (il) Comment faire les crêpes? (ils)	*Elles ne savent pas préparer la soupe à l'oignon. Dites-leur comment elles doivent la préparer.* *Oui, je vais le leur dire.*
c Comment faire cela? (elle) Comment expliquer cela? (ils) Comment attacher cela? (nous)	*Elle n'arrive pas à faire cela. Voulez-vous lui montrer comment le faire?* *Oui, je vais le lui montrer.*
d Où installer la machine à laver? (je) Où ranger les appareils ménagers? (nous) Où placer la cuisinière électrique? (je) Où mettre l'aspirateur? (nous)	*Je ne sais où installer la machine à laver. Si tu as une idée, dis-moi où l'installer. Ne l'installe pas n'importe où, installe-la ici.*
e Croit-elle aux valeurs spirituelles? Travaillent-ils au bonheur des hommes? Réfléchis-tu aux dangers de l'entreprise? Parlera-t-on des progrès de la médecine? S'occupera-t-on de la faim dans le monde?	*Je ne suis pas sûr qu'elle y croie mais j'espère que si (ou : que oui).*
71 **Mettez les phrases suivantes au passé simple : (il, ils)** Il a vécu en Afrique où il est mort en 1960. Il a couru cette course et il l'a gagnée. Il a mangé beaucoup et il a bu encore plus. Il a cru qu'il suffisait de commander pour être servi.	
72 **Dites ce qu'il faudrait faire :** Je voudrais suivre le progrès. Nous voudrions comprendre les jeunes. Il voudrait gagner les élections. Il voudrait aider les pauvres gens.	*Que faire pour suivre le progrès? Dites-moi ce que je devrais faire.* *Vous devriez lire les journaux, les revues, écouter les informations, sortir de chez vous, voyager, visiter les expositions, etc.*

La vie en images

1 Lavage automatique.
Que font les deux jeunes femmes?
Quels objets ont-elles posés près d'elles?
A quoi sert le chariot, au premier plan?

2 Quête dans la rue.
Qu'est-ce que les enfants proposent à l'agent de police? Faites-les parler.

3 Réfugiés du Bengale.
Que fait le personnage qu'on voit de dos, assis?
Qu'est-ce que chaque réfugié tient à la main?

4 Aspirateur.
Que fait la petite fille? Et la femme placée derrière elle?
Dans quelle pièce de la maison (ou de l'appartement) se situe la scène?

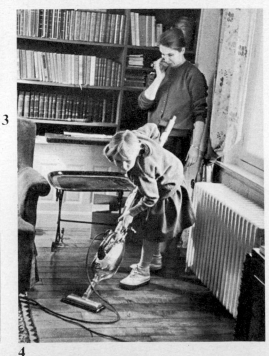

Science et loisirs

La science a fait beaucoup de progrès depuis un siècle. Elle en fera encore et de plus importants sans doute. Mais il est difficile de savoir si l'humanité en tirera un grand profit.

De nombreux savants, Einstein, Oppenheimer par exemple, ont contesté l'emploi qui était fait de leurs inventions. A quoi bon découvrir les secrets de la matière si c'est pour fabriquer des bombes atomiques capables de faire sauter la terre entière!

Et puis, quand la machine aura libéré les ouvriers du travail manuel, quand les mères de famille auront des appareils ménagers qui feront la cuisine et la vaisselle à leur place, quand la vie sera devenue plus facile et plus simple pour tous, comment hommes et femmes occuperont-ils leurs loisirs? Les étudiants iront à l'université jusqu'à trente ans et plus, les travailleurs prendront leur retraite à quarante-cinq ans, tous feront du sport, de la peinture, de la musique, des voyages. Seront-ils plus heureux? Voilà la question.

Mais elle ne se pose pas encore. Auparavant, il faut donner à manger à ceux qui ont faim et établir la paix partout dans le monde. Voilà deux tâches qui suffiront à occuper l'humanité jusqu'à la fin du xxe siècle.

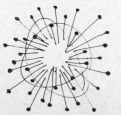

Pour la lecture

Le Brochet[1]

Le brochet
Fait des projets.
J'irai voir[a], dit-il,
Le Gange et le Nil,
Le Tage et le Tibre
Et le Yang-Tsé-Kiang.
J'irai, je suis libre
D'user de mon temps[2].

Et la lune?
Iras-tu voir la lune?
Brochet voyageur,
Brochet mauvais cœur,
Brochet de fortune[3].

Robert Desnos, *Chantefables et Chantefleurs*, Gründ.

1. Grand poisson de rivière, très carnassier. — 2. D'employer mon temps. — 3. Qui cherche l'aventure.
a. Grammaire, tableau 14.

L'Addition

Le client	Garçon, l'addition!
Le garçon	Voilà. *(Il sort son crayon et note.)* Vous avez... deux œufs durs, un veau, un petit pois[1], une asperge, un fromage, avec beurre, une amande verte[2], un café filtre, un téléphone[3].
Le client	Et puis des cigarettes!
Le garçon	*(Il commence à compter*[a]*.)* C'est ça même... des cigarettes... Alors ça fait...
Le client	N'insistez pas, mon ami, c'est inutile, vous ne réussirez jamais.
Le garçon	!!!
Le client	On ne vous a donc pas appris à l'école que c'est ma-thé-ma-ti-que-ment impossible d'additionner des choses d'espèce différente!
Le garçon	!!!
Le client	*(Élevant*[b] *la voix.)* Enfin, tout de même, de qui se moque-t-on? ... Il faut réellement être insensé pour oser essayer de tenter d'« additionner » un veau avec des cigarettes, des cigarettes avec un café filtre, un café filtre avec une amande verte et des œufs durs avec des petits pois, des petits pois avec un téléphone... Pourquoi pas un petit pois avec un grand officier de la Légion d'honneur[4], pendant que vous y êtes! *(Il se lève.)* Non, mon ami, croyez-moi, n'insistez pas, ne vous fatiguez pas, ça ne donnerait rien, vous entendez, rien, absolument rien... pas même le pourboire! *(Et il sort en emportant*[b] *le rond de serviette à titre gracieux*[5]*.)*

Jacques Prévert, *Histoires,* Gallimard.

---

1. Un plat de petits pois. — 2. Une assiette d'amandes vertes. — 3. Une communication téléphonique. — 4. Haut dignitaire de la Légion d'honneur. — 5. A titre gratuit, gratuitement.
a. Grammaire 8. — b. Grammaire 13.

Pour la lecture

Le Hareng saur[1]

Il était[2] un grand mur blanc — nu, nu, nu,
Contre le mur une échelle — haute, haute, haute,
Et, par terre, un hareng saur — sec, sec, sec.

Il[3] vient, tenant[a] dans ses mains — sales, sales, sales,
Un marteau lourd, un grand clou — pointu, pointu, pointu.

Un peloton de ficelle — gros, gros, gros.

Alors il monte à l'échelle — haute, haute, haute,
Et plante le clou pointu — toc, toc, toc,
Tout en haut du grand mur blanc — nu, nu, nu.

Il laisse aller le marteau — qui tombe, qui tombe, qui tombe,
Attache au clou la ficelle — longue, longue, longue,
Et, au bout, le hareng saur — sec, sec, sec.

Il redescend de l'échelle — haute, haute, haute;
L'emporte avec le marteau — lourd, lourd, lourd;
Et puis, il s'en va ailleurs — loin, loin, loin.

Et depuis, le hareng saur — sec, sec, sec,
Au bout de cette ficelle — longue, longue, longue,
Très lentement se balance — toujours, toujours, toujours.

J'ai composé cette histoire — simple, simple, simple,
Pour mettre[b] en fureur les gens — graves, graves, graves
Et amuser les enfants — petits, petits, petits.

Charles Cros.

1. Poisson de mer séché à la fumée. — 2. Il y avait une fois. — 3. L'homme.
a. Grammaire 13 — b. Grammaire 3.

Le Marchand de pilules[1]

« Bonjour, dit le petit prince.

— Bonjour », dit le marchand.

C'était un marchand de pilules perfectionnées qui apaisent la soif. On en avale une par semaine et l'on n'éprouve plus le besoin de boire.

« Pourquoi[a] vends-tu ça? dit le petit prince.

— C'est une grosse économie de temps, dit le marchand. Les experts ont fait des calculs. On épargne cinquante-trois minutes par semaine.

— Et que[b] fait-on de ces cinquante-trois minutes?

— On en fait ce que l'on veut... »

« Moi, se dit le petit prince, si j'avais[c] cinquante-trois minutes à dépenser[d], je marcherais tout doucement vers une fontaine... »

A. de Saint-Exupéry, Le Petit Prince, Gallimard.

1. Petites boules pharmaceutiques que l'on avale.
a. Grammaire 3. — b. Grammaire 1. — c. Grammaire 8. — d. Grammaire 19.

La Girafe

La girafe et la girouette[1]
Vent du sud et vent de l'est,
Tendent leur cou vers l'alouette[2],
Vent du nord et vent de l'ouest.

Toutes deux vivent près du ciel,
A la hauteur des hirondelles,
Vent du sud et vent de l'est,
Vent du nord et vent de l'ouest.

Et l'hirondelle pirouette[3],
Vent du sud et vent de l'est,
En été sur les girouettes,
Vent du nord et vent de l'ouest.

L'hirondelle fait des paraphes[4],
Vent du sud et vent de l'est,
Tout l'hiver autour des girafes,
Vent du nord et vent de l'ouest.

Robert Desnos, Chantefables et Chantefleurs, Gründ.

1. Petit drapeau en métal, placé sur un toit pour indiquer la direction du vent. — 2. Petit oiseau, qui chante dans les hauteurs du ciel, à la campagne. — 3. Fait des pirouettes (f.), des tours sur elle-même. — 4. Des traits, dans son vol, comme ceux qu'on ajoute à une signature.

Pour la lecture

La Bibliothèque

La bibliothèque ne comprenait guère que les grands classiques[1] de France
et d'Allemagne. Il y avait des grammaires, aussi, quelques romans célèbres, les *Contes choisis* de Maupassant, des ouvrages d'art – un Rubens,
un Van Dyck, un Dürer, un Rembrandt – que les élèves de mon grand-
père lui avaient offerts[a] à l'occasion d'un Nouvel An. Maigre univers[2].
Mais le *Grand Larousse*[3] me tenait lieu de tout : j'en prenais un tome au
hasard, derrière le bureau, sur l'avant-dernier rayon. A-Bello, Belloc-Ch
ou Ci-D, Mele-Po ou Pr-Z.; je le déposais péniblement sur le sous-main[4]
de mon grand-père, je l'ouvrais, j'y dénichais[5] les vrais oiseaux, j'y faisais
la chasse aux vrais papillons posés sur de vraies fleurs. Hommes et bêtes
étaient là, en personne : au Jardin d'Acclimatation[6], les singes étaient
moins singes; au Jardin du Luxembourg, les hommes étaient moins
hommes. C'est[b] dans les livres que[b] j'ai rencontré l'univers[7]...

Jean-Paul Sartre, *Les Mots,* Gallimard.

---

1. Les grands écrivains classiques, comme Molière, Gœthe. — 2. Un monde (êtres et
choses) peu étendu. — 3. Célèbre dictionnaire de la langue française en sept volumes. —
4. Accessoire de bureau, sur lequel on place son papier pour écrire *(Larousse).* — 5. Déni-
cher un oiseau, c'est le prendre dans son nid. — 6. Zoo situé dans le bois de Boulogne. —
7. Cette fois, c'est le monde dans son entier.
a. Grammaire 18. – b. Grammaire 9.

La Grammaire

Blanche	*(tenant[a] un papier)* Je te cherchais pour te remettre[b] le discours que tu dois[c] prononcer au comice agricole[1].
Caboussat	Si je suis réélu... Tu l'as revu?
Blanche	Recopié seulement.
Caboussat	Oui... comme les autres... *(l'embrassant[a].)* Ah! chère petite... sans toi!... *(dépliant[a] le papier.)* Comment trouves-tu le commencement?
Blanche	Très beau!
Caboussat	*(lisant)* « Messieurs et chers collègues, l'agriculture est la plus belle des professions... » *(s'arrêtant[a])* Tiens! tu as mis deux s à professions?
Blanche	Sans doute...
Caboussat	*(l'embrassant[a])* Ah! chère petite!... *(à part[2].)* Moi, j'avais mis un t... tout simplement. *(lisant)* « La plus noble des professions ». *(parlé)* Avec deux s. *(lisant)* « J'ose le[d] dire, celui qui n'aime pas la terre, celui dont[e] le cœur ne bondit[3] pas à la vue d'une charrue, celui-là ne comprend pas la richesse des nations... » *(s'arrêtant[a])* Tiens, tu as mis un t à nations?
Blanche	Toujours.
Caboussat	*(l'embrassant[a])* Ah! chère petite!... *(à part)* Moi, j'avais mis un s tout simplement!... les t, les s... jamais je ne pourrai retenir ça! *(lisant)* « La richesse des nations... » *(Parlé)* Avec un t...

Eugène Labiche, *La Grammaire* (scène VI).

---

1. Concours de cultivateurs présidé par un haut fonctionnaire. — 2. Parlant seulement pour lui-même. — 3. D'émotion.
a. Grammaire 13. — b. Grammaire 3. — c. Grammaire 2. — d. Grammaire 16. — e. Grammaire 11.

Chanson pour les enfants l'hiver

Dans la nuit de l'hiver
galope un grand homme blanc
galope un grand homme blanc

C'est un bonhomme de neige
avec une pipe en bois
un grand bonhomme de neige
poursuivi par[a] le froid

Il arrive au village
il arrive au village
voyant[b] de la lumière
le voilà rassuré[c]

Dans une petite maison
il entre sans frapper[c]

Dans une petite maison
il entre sans frapper[c]
et pour se réchauffer[d]
s'assoit sur le poêle rouge
et d'un coup disparaît
ne laissant[b] que sa pipe
au milieu d'une flaque d'eau
ne laissant que sa pipe
et puis son vieux chapeau...

Jacques Prévert, *Histoires*, Gallimard.

a. Grammaire 10. – b. Grammaire 13. – c. Grammaire 22. – d. Grammaire 3.

Le martin-pêcheur

Quand Martin[1], Martin, Martin
se lève de bon matin,
Le martin[2], martin-pêcheur
Se réveille de bonne heure.

Il va pêcher[a] le goujon
Dans le fleuve, auprès des joncs,
se régale d'alevins[3],
Boit de l'eau mais pas de vin.
Puis Martin, Martin, Martin,
Va dormir[a] jusqu'au matin.
Je souhaite de grand cœur
Devenir[b] martin-pêcheur.

Robert Desnos, *Chantefables et Chantefleurs*, Gründ.

1. Martin est ici un nom d'homme. — 2. Martin est ici un nom d'oiseau, appelé couramment martin-pêcheur. — 3. Petits poissons qui viennent de naître.
a. Grammaire 14. — b. Grammaire 14.

Pour la lecture

Père et fils

Georges Carrion, 43 ans, avocat.
Gillou, 14 ans, son fils.

Gillou	*(plongé dans un quotidien)* Tiens, on donne au Rex[1] *Passe-moi ta femme.*
Georges	*Passe-moi ta femme!*
Gillou	Je l'ai déjà vu, ce film, mais je vais y retourner. Oh! c'est bien! C'est tellement idiot!
Georges	De mon temps on aurait dit: « C'est idiot, donc c'est mauvais. » Aujourd'hui on dit: « C'est idiot, donc c'est bien. »
Gillou	*(prenant[a] un hebdomadaire illustré[2])* Tu l'aimes, Rita Leandri? Tu sais qu'elle a épousé Wonder Clark, à Hollywood. *(d'un air entendu[3])* C'est une grande artiste!
Georges	Une grande artiste? Toujours ton respect! Ton respect à tort et à travers. Ah! si tu pouvais être un peu rebelle[4]. Une grande artiste? Tu l'as vue[b] jouer?
Gillou	Non, mais c'est marqué sur le journal.
Georges	*Dans* le journal, et non *sur* le journal. Combien de fois faut-il te le répéter?
Gillou	Mais tout le monde dit *sur*. Notre prof dit *sur*. Et le prof sait ce qu'il dit, il me semble!
Georges	Tout le monde se trompe. Dire « sur le journal » est aussi incorrect et aussi vulgaire que dire « le cintième » ou « le collidor »[5].
Gillou	Il n'y a que toi qui parles en bon français.

Henry de Montherlant, *Fils de personne*, Acte III, Scène 1.
Gallimard.

---

1. Nom d'une salle de cinéma. — 2. On dit aussi: un magazine. — 3. Comme quelqu'un qui s'y connaît. — 4. On dit aussi: contestataire. — 5. au lieu de: *cinquième* et *corridor*.
a. Grammaire 13. — b. Grammaire 18.

Familiale

La mère fait du tricot
Le fils fait la guerre
Elle trouve ça tout naturel la mère
Et le père qu'est-ce qu'il fait le père?
Il fait des affaires
Sa femme fait du tricot
Son fils fait la guerre
Lui des affaires
Il trouve ça tout naturel le père
Et le fils et le fils
Qu'est-ce qu'il trouve le fils?
Il ne trouve rien absolument rien le fils
Le fils sa mère fait du tricot son père des affaires lui la guerre
Quand il aura fini[a] la guerre
Il fera des affaires avec son père
La guerre continue la mère continue elle tricote
Le père continue il fait des affaires
Le fils est tué il ne continue plus
Le père et la mère vont au cimetière
Ils trouvent ça naturel le père et la mère
La vie continue la vie avec le tricot la guerre les affaires
Les affaires la guerre le tricot la guerre
Les affaires les affaires et les affaires
La vie avec le cimetière.

Jacques Prévert, Paroles, Gallimard.

a. Grammaire 19.

Pour la lecture

Conte de fée

Il était un grand nombre de fois[1]
Un homme qui aimait une femme.
Il était un grand nombre de fois
Une femme qui aimait un homme.
Il était un grand nombre de fois
Une femme et un homme
Qui n'aimaient pas celui et celle qui les aimaient.

Il était une fois
Une seule fois peut-être
Une femme et un homme qui s'aimaient.

Robert Desnos, *Domaine public*, Gallimard.

1. On dit couramment, pour commencer un conte de fée : *Il était une fois.* − Ici, *un grand nombre de fois* souligne la fréquence d'un amour malheureux.

La Leçon

Le professeur	Il y a trente ans que[a] j'habite la ville. Vous n'y êtes pas depuis longtemps! Comment la trouvez-vous?
L'élève	Elle ne me déplaît nullement. C'est une jolie ville, agréable, un joli parc, un pensionnat, un évêque, de beaux magasins, des rues, des avenues...
Le professeur	C'est vrai, Mademoiselle. Pourtant j'aimerais autant[1] vivre autre part. A Paris, ou au moins à Bordeaux.
L'élève	Vous aimez Bordeaux?
Le professeur	Je ne sais pas. Je ne connais pas.
L'élève	Mais vous connaissez Paris?
Le professeur	Non plus, Mademoiselle, mais, si vous me le permettez, pourriez-vous me dire, Paris, c'est le chef-lieu[2] de... Mademoiselle?
L'élève	(*cherche un instant, puis, heureuse de savoir*) Paris, c'est le chef-lieu de... la France?
Le professeur	Mais oui, Mademoiselle, bravo, mais c'est très bien, c'est parfait. Mes félicitations. Vous connaissez votre géographie nationale sur le bout des ongles[3]. Vos chefs-lieux.
L'élève	Oh! je ne les connais pas tous encore, Monsieur, ce n'est pas si[b] facile que ça, j'ai du mal à les apprendre[4].
Le professeur	Oh, ça viendra... Du courage... Mademoiselle... Je m'excuse... de la patience... doucement, doucement... Vous verrez, ça viendra... Il fait beau aujourd'hui... ou plutôt pas tellement... Oh! si quand même. Enfin il ne fait pas trop mauvais, c'est le principal... Euh... Euh... il ne pleut pas, il ne neige pas non plus.
L'élève	Ce serait bien étonnant, car nous sommes en été.
Le professeur	Je m'excuse, Mademoiselle, j'allais[5] vous le dire... mais vous apprendrez que l'on peut s'attendre à tout.
L'élève	Évidemment, Monsieur.
Le professeur	Nous ne pouvons être sûrs de rien, Mademoiselle, en ce monde.

Pour la lecture

L'élève	La neige tombe l'hiver. L'hiver, c'est une des quatre saisons. Les trois autres sont... euh... le prin...
Le professeur	Oui?
L'élève	... temps, et puis l'été... et... euh...
Le professeur	Ça commence comme automobile, Mademoiselle.
L'élève	Ah, oui, l'automne...
Le professeur	C'est bien cela, Mademoiselle, très bien répondu, c'est parfait. Je suis convaincu que vous serez une bonne élève. Vous ferez des progrès. Vous êtes intelligente, vous me paraissez instruite, bonne mémoire.

Eugène Ionesco, *La leçon*,　Gallimard.

1. Signifie à peu près : j'aimerais mieux. — 2. La ville principale, surtout administrative-ment. Pour *Paris,* on dit : la capitale. — 3. On dit généralement : sur le bout du doigt (= vous savez parfaitement). — 4. J'ai de la difficulté pour les apprendre. — 5. Correspond, pour le passé, à : je *vais* vous le dire.
a; Grammaire 17. — b. Grammaire 17.

Le Buveur

La planète suivante était habitée par[a] un buveur. Cette visite fut très courte mais elle plongea[b] le petit prince dans une grande mélancolie : « Que[c] fais-tu là? dit[d]-il au buveur, qu'il trouva installé en silence devant une collection[1] de bouteilles vides et une collection de bouteilles pleines.

— Je bois, répondit[e] le buveur, d'un air lugubre.

— Pourquoi[f] bois-tu? lui demanda le petit prince.

— Pour oublier[g] répondit le buveur.

— Pour oublier quoi? s'enquit[2] le petit prince qui déjà le plaignait.

— Pour oublier que j'ai honte, avoua[b] le buveur en baissant[b] la tête.

— Honte de quoi? s'informa[b] le petit prince qui désirait le secourir.

— Honte de boire! » acheva[b] le buveur qui s'enferma[b] définitivement dans le silence.

Et le petit prince s'en fut[3][h], perplexe[4].

« Les grandes personnes sont décidément très très bizarres », se disait-il en lui-même durant le voyage.

A. de Saint-Exupéry, *Le Petit Prince*, Gallimard.

1. Une grande quantité. — 2. Demanda. — 3. S'en alla. — 4. Embarrassé, ne sachant quoi penser.
a. Grammaire 10. — b. Grammaire 13. — c. Grammaire 1. — d. Grammaire 23. — e. Grammaire 24. — f. Grammaire 3. — g. Grammaire 3. — h. Grammaire 15.

Pour la lecture

En attendant Godot

Estragon	Allons-nous-en.
Vladimir	On[1] ne peut pas.
Estragon	Pourquoi?
Vladimir	On attend Godot.
Estragon	C'est vrai. *(un temps)* Tu es sûr que c'est[a] ici?
Vladimir	Quoi?
Estragon	Qu'[a]il faut attendre.
Vladimir	Il a dit devant l'arbre. *(Ils regardent l'arbre.)* Tu en vois d'autres?
Estragon	Qu'est-ce que c'est?
Vladimir	On dirait un saule.
Estragon	Où sont les feuilles?
Vladimir	Il doit être mort[2].
Estragon	Finis les pleurs[3].
Vladimir	A moins que ce ne soit pas[4] la saison.
Estragon	Ce ne serait pas plutôt un arbrisseau?
Vladimir	Un arbuste[5].
Estragon	Un arbrisseau.
Vladimir	Un *(il se reprend[6])*. Qu'est-ce que tu veux insinuer[7]? Qu'on s'est trompé d'endroit?
Estragon	Il devrait être là.

Vladimir	Il n'a pas dit ferme[8] qu'il viendrait[9].
Estragon	Et s'il ne vient pas?
Vladimir	Nous reviendrons demain.
Estragon	Et puis après-demain.
Vladimir	Peut-être.
Estragon	Et ainsi de suite.
Vladimir	C'est-à-dire...
Estragon	Jusqu'à ce qu'il vienne.
Vladimir	*(levant la main)* Écoute! *(ils écoutent, grotesquement figés).*
Estragon	Je n'entends rien.
Vladimir	Hsst! *(ils écoutent. Estragon perd l'équilibre, manque de tomber. Il s'agrippe au bras de Vladimir qui chancelle. Ils écoutent, tassés l'un contre l'autre, les yeux dans les yeux.)* Moi non plus. *(Soupirs de soulagement. Détente. Ils s'éloignent l'un de l'autre).*
Estragon	Tu m'as fait peur.
Vladimir	J'ai cru que c'était lui.
Estragon	Qui?
Vladimir	Godot.
Estragon	Pah! Le vent dans les roseaux.
Vladimir	J'aurais juré[b] des cris.
Estragon	Et pourquoi crierait-il?
Vladimir	Après son cheval.

Silence

Estragon	Allons-nous-en.
Vladimir	Où? *(Un temps)* Ce soir on couchera peut-être chez lui, au chaud, au sec, le ventre plein, sur la paille. Ça vaut la peine qu'on attende. Non?
Estragon	Pas toute la nuit.
Vladimir	Il fait encore jour.

Silence

Pour la lecture

Estragon	J'ai faim.
Vladimir	Veux-tu une carotte?
Estragon	Il n'y a pas autre chose?
Vladimir	Je dois avoir quelques navets.
Estragon	Donne-moi une carotte. *(Vladimir fouille dans ses poches, en retire un navet et le·donne à Estragon.)* Merci. *(Il mord dedans. Plaintivement.)* C'est un navet.

Samuél Beckett, *En attendant Godot,* Éd. de Minuit.

1. Ici, on = nous (*français parlé*). — 2. Il est mort, probablement. — 3. Les pleurs sont finis, on a fini de pleurer (Grammaire 8). — 4. Sauf si c'est la saison. — 5. *Arbuste* et *arbrisseau* désignent de petits arbres. — 6. Il rectifie ce qu'il allait dire. — 7. Dire indirectement, de façon perfide. — 8. Fermement. — 9. = qu'il viendra (le verbe principal est au passé, d'où le conditionnel au lieu du futur).
a. Grammaire 9. — b. Grammaire 9.

« C'est extraordinaire ! »

M. Martin	*(à sa femme)* Dis, chérie, qu'est-ce que tu as vu aujourd'hui ?
Mme Martin	Ce n'est pas la peine[1], on ne me croirait pas.
M. Smith	Nous n'allons pas mettre en doute votre bonne foi !
Mme Smith	Vous nous offenseriez si vous le pensiez[a].
M. Martin	*(à sa femme)* Tu les offenserais, chérie, si tu le pensais...
Mme Martin	*(gracieuse)* Eh bien j'ai assisté aujourd'hui à une chose extraordinaire. Une chose incroyable.
M. Martin	Dis vite, chérie.
M. Smith	Ah, on va s'amuser.
Mme Smith	Enfin.
Mme Martin	Eh bien aujourd'hui, en allant au marché pour acheter[b] des légumes qui sont de plus en plus chers...
Mme Smith	Qu'est-ce que ça va devenir !
M. Smith	Il ne faut pas interrompre, chérie, vilaine.
Mme Martin	J'ai vu, dans la rue, à côté d'un café, un monsieur, convenablement vêtu, âgé d'une cinquantaine d'années, même pas[2], qui...
M. Smith	Qui, quoi ?
Mme Smith	Qui, quoi ?
M. Smith	*(à sa femme)* Faut pas interrompre, chérie, tu es dégoûtante.
Mme Smith	Chéri, c'est toi, qui as interrompu le premier, mufle[3] !
M. Martin	Chut ! *(à sa femme)* Qu'est-ce qu'il faisait, le monsieur ?
Mme Martin	Eh bien, vous allez dire que j'invente, il avait mis un genou par terre et se tenait penché.

Pour la lecture

M. Martin, M. Smith, Mme Smith	Oh!
Mme Martin	Oui, penché.
M. Smith	Pas possible.
Mme Martin	Si, penché. Je me suis approchée de lui pour voir ce qu'il faisait[c]...
M. Smith	Eh bien?
Mme Martin	Il nouait les lacets de sa chaussure qui s'étaient défaits.
Les trois autres	Fantastique!
M. Smith	Si ce n'était pas vous, je ne le croirais pas.
Mme Martin	Pourquoi pas? On voit des choses encore plus extraordinaires quand on circule. Ainsi, aujourd'hui, moi-même[d]. j'ai vu dans le métro, assis sur une banquette, un monsieur qui lisait tranquillement son journal.
Mme Smith	Quel original!
M. Smith	C'était peut-être le même[d]!

Eugène Ionesco, *La Cantatrice chauve*, Gallimard.

---

1. De le dire. — 2. Mme Martin se reprend. — 3. Injure grossière à l'adresse d'un homme mal élevé.
a. Grammaire 8. — b. Grammaire 3. — c. Grammaire 21. — d. Grammaire 11.

Plume voyage

Plume ne peut pas dire qu'on ait[a] excessivement d'égards pour lui en voyage. Les uns lui passent dessus sans crier[b] gare[1], les autres s'essuient tranquillement les mains à son veston. Il a fini par s'habituer. Il aime mieux voyager avec modestie. Tant que ce sera possible, il le fera.

Si on lui sert, hargneux, une racine dans son assiette, une grosse racine :
« Allons, mangez. Qu'est-ce que vous attendez?
— Oh, bien, tout de suite, voilà. »
Il ne veut pas s'attirer des histoires inutilement.

Et si la nuit on lui refuse un lit :
« Quoi! Vous n'êtes pas venu de si loin pour dormir[c], non? Allons, prenez votre malle et vos affaires, c'est le moment de la journée où l'on marche le plus facilement.
— Bien, bien, oui... certainement. C'était pour rire[c] naturellement. Oh oui, par... par plaisanterie. »
Et il repart dans la nuit obscure.

Et si à Rome il demande à voir le Colisée :
« Ah! non. Écoutez, il est déjà assez mal arrangé. Et puis après Monsieur voudra le toucher, s'appuyer dessus, s'y asseoir... C'est comme ça qu'[d] il ne reste que des ruines partout. Ce fut une leçon pour nous, une dure leçon, mais à l'avenir, non, c'est fini, n'est-ce pas.
— Bien! Bien! c'était... Je voulais seulement vous demander une carte postale, une photo peut-être... si des fois[2]... »
Et il quitte la ville sans avoir rien vu[e].

Et si sur le paquebot, tout à coup, le commissaire du bord le désigne du doigt et dit :
« Qu'est-ce qu'il fait ici celui-là? Allons, on manque bien de discipline là, en bas, il me semble. Qu'on aille vite me le redescendre[f] dans la soute. Le deuxième quart[3] vient de sonner. »

Et il repart en sifflotant[g], et Plume, lui, s'éreinte pendant toute la traversée.

Mais il ne dit rien, il ne se plaint pas. Il songe aux malheureux qui ne peuvent pas voyager du tout, tandis que lui, il voyage, il voyage continuellement.

Henri Michaux, *Plume,* Gallimard.

---

1. Sans avertir. — 2. Populaire pour : parfois (= pour le cas où vous auriez une photo du Colisée). — 3. Temps où on prend la garde.
a. Grammaire 1. — b. Grammaire 22. — c. Grammaire 3. — d. Grammaire 9. — e. Grammaire 22. — f. Grammaire 14. — g. Grammaire 13.

Pour la lecture

Un snack-bar sur l'auto-route

On ne vit pas Busard à Bionnas pendant toute une semaine. Il revint chez Marie-Jeanne le mardi suivant, à neuf heures du soir, l'heure où il était autorisé habituellement à se présenter.

« Voilà, dit-il. Je suis allé à Lyon, où j'ai vu des camarades de régiment. Ils m'ont envoyé à Chalon-sur-Saône, chez des amis à eux, qui m'ont envoyé à Mâcon. On nous propose la gérance d'un snack-bar qu'on achève tout juste de construire, entre Chalon et Mâcon, sur la grande route Paris-Lyon-Marseille-Côte d'Azur. Il passe en moyenne 350 voitures par heure. »

Il décrivit l'établissement. Un cube de béton blanc, à côté d'un poste à essence équipé de six pompes automatiques, éclairé au néon toute la nuit. Un bar, avec quinze tabourets, dix petites tables de quatre couverts. Logement de trois pièces pour les gérants. Et l'on voit défiler[a] le monde entier tout au long de l'année.

Il expliqua l'avantage des snack-bars. Que les automobilistes d'aujourd'hui n'aiment pas perdre de temps dans les auberges. Qu'ils préfèrent manger sur le pouce[1] pendant qu'on leur fait le plein d'essence ; et que, s'ils ne veulent pas quitter leur siège, on leur porte un sandwich, avec du vin dans un gobelet de carton. Que le snack-bar, c'est l'avenir. Qu'en dix ans, avec leurs économies de gérants, ils deviendront propriétaires. On leur demandait une caution de 700 000 francs[2]. Son père lui donnait 150 000, la moitié de ses économies de petit artisan... Marie-Jeanne annonça que sa mère et elle avaient 225 000 francs placés à la Caisse d'Épargne. 150 000 + 225 000 = 375 000... « Reste à trouver 325 000, dit Busard. J'ai mon idée[3] là-dessus. » Il se leva[b].

« Tu ne restes pas?

— Non. Il faut que je m'occupe tout de suite de trouver ces 325 000 francs. »

Il lui tendit[c] la main.

« A jeudi, Marie-Jeanne. »

Roger Vailland, *325 000 francs*, Buchet-Chastel.

---

1. Hâtivement, sans se mettre à table. — 2. = 7 000 nouveaux francs. — 3. Je sais comment les trouver.
a. Grammaire 11. — b. Grammaire 13. — c. Grammaire 24.

Pèlerinage à Chartres

Mon petit Pierre a été malade, une diphtérie[1], en août, en arrivant[a] à la mer. Alors, mon vieux, j'ai senti que c'était grave. Il a fallu[b] que je fasse[c] un vœu... J'ai fait un pèlerinage à Chartres. Je suis Beauceron. Chartres est ma cathédrale. Je n'avais aucun entraînement. J'ai fait 144 kilomètres en trois jours. Ah! mon vieux, les Croisades, c'était facile! Il est évident que nous autres, nous aurions été[d] les premiers à partir pour Jérusalem et que nous serions morts[d] sur la route. Mourir dans un fossé, ce n'est rien; vraiment, j'ai senti que ce n'était rien... On voit le clocher de Chartres à 17 kilomètres sur la plaine. De temps en temps, il disparaît derrière une ondulation, une ligne de bois. Dès que je l'ai vu, ç'a été une extase. Je ne sentais plus rien, ni la fatigue, ni mes pieds. Toutes mes impuretés sont tombées d'un coup. J'étais un autre homme. J'ai prié une heure dans la cathédrale, le samedi soir. J'ai prié une heure, le dimanche matin, avant la grand-messe. Je n'ai pas assisté à la grand-messe. J'avais peur de la foule. J'ai prié, mon vieux, comme jamais je n'ai prié. J'ai pu prier pour mes ennemis : ça ne m'était jamais arrivé[e]...

Charles Péguy, *Lettres et Entretiens,* Gallimard.

1. Grave maladie de la gorge.
a. Grammaire 13. — b. Grammaire 1. — c. Grammaire 10. — d. Grammaire 9. — e. Grammaire 12.

Pour la lecture

Mère et fils

Il n'y a pas longtemps, dans une maison d'un vieux quartier, un fils est allé voir[a] sa mère. Ils sont assis face à face, en silence. Mais leurs regards se rencontrent :
« Alors, maman.
— Alors, voilà.
— Tu t'ennuies? Je ne parle pas beaucoup?
— Oh, tu n'as jamais beaucoup parlé. »
Et un beau sourire sans lèvres se fond sur son visage. C'est vrai, il ne lui a jamais parlé. Mais quel besoin, en vérité? A se taire[1], la situation s'éclaircit[b]. Il est son fils, elle est sa mère. Elle peut lui dire : « Tu sais ». Elle est assise au pied du divan, les pieds joints, les mains jointes sur ses genoux. Lui, sur sa chaise, la regarde à peine et fume sans arrêt. Un silence.
« Tu ne devrais pas tant[c] fumer.
— C'est vrai. »
Toute l'odeur du quartier remonte par la fenêtre. L'accordéon du café voisin, la circulation qui se presse[b] au soir, l'odeur des brochettes de viande grillée qu'on mange entre des petits pains élastiques, un enfant qui pleure dans la rue. La mère se lève et prend un tricot. Elle a des doigts gourds[2] que l'arthritisme[3] a déformés[d]. Elle ne travaille pas vite, reprenant[e] trois fois la même maille ou défaisant[e] toute une rangée avec un sourd crépitement[4].
« C'est un petit gilet. Je le mettrai avec un col blanc. Ça et mon manteau noir, je serai habillée pour la saison. »
Elle s'est levée[d] pour donner[f] de la lumière.
« Il fait nuit de bonne heure maintenant. »
C'était vrai. Ce n'était plus l'été et pas encore l'automne. Dans le ciel doux, des martinets criaient encore.
« Tu reviendras bientôt?
— Mais je ne suis pas encore parti. Pourquoi[f] parles-tu de ça?
— Non, c'était pour dire[f] quelque chose. »

Albert Camus, *L'envers et l'endroit*, Gallimard.

---

1. Quand on se tait, si on se tait. — 2. Engourdis, peu agiles. — 3. Maladie des articulations (doigts, genoux, etc.). — 4. Le cliquetis des aiguilles.
a. Grammaire 14. — b. Grammaire 23. — c. Grammaire 17. — d. Grammaire 18. — e. Grammaire 13. — f. Grammaire 3.

Chanson triste

— Et s'il revenait un jour
Que faut-il lui dire?
— Dites-lui qu'on l'attendit[a]
Jusqu'à s'en mourir[1]...

— Et s'il m'interroge encore
Sans me reconnaître[b]?
— Parlez-lui comme une sœur
Il souffre peut-être...

— Et s'il demande où[c] vous êtes
Que faut-il répondre?
— Donnez-lui mon anneau d'or
Sans rien lui répondre[b]...

— Et s'il veut savoir pourquoi[c]
La salle est déserte?
— Montrez-lui la lampe éteinte
Et la porte ouverte...

— Et s'il m'interroge alors
Sur la dernière heure?
— Dites-lui que j'ai souri
De peur qu'il ne pleure[2]...

Maeterlinck (poète belge), *Douze chansons*.

---

1. Se mourir = mourir lentement. — 2. Pour qu'il ne pleure pas.
a. Grammaire 24. — b. Grammaire 22. — c. Grammaire 21.

Pour la lecture

L'homme qui devient rhinocéros

Bérenger	On a souvent l'impression qu'on s'est cogné, quand on a mal à la tête. *(S'approchant*[a] *de Jean.)* Si vous vous étiez cogné, vous devriez[b] avoir une bosse. *(Regardant Jean.)* Si, tiens, vous en avez une, vous avez une bosse en effet.
Jean	Une bosse?
Bérenger	Une toute[c] petite.
Jean	Où?
Bérenger	*(montrant*[a] *le front de Jean.)* Tenez, elle pointe juste au-dessus de votre nez.
Jean	Je n'ai point de bosse. Dans ma famille, on n'en a jamais eu.
Bérenger	Avez-vous une glace?
Jean	Ah ça alors! *(Se tâtant*[b] *le front.)* On dirait bien pourtant. Je vais[d] voir, dans la salle de bains. *(Il se lève brusquement et se dirige vers la salle de bains. Bérenger le suit du regard. De la salle de bains)* : C'est vrai, j'ai une bosse (...)
Jean	Qu'avez-vous à m'examiner[1] comme une bête curieuse?
Bérenger	Votre peau...
Jean	Qu'est-ce qu'elle peut vous faire ma peau? Est-ce que je m'occupe de votre peau?
Bérenger	On dirait... oui, on dirait qu'elle change de couleur à vue d'œil. Elle verdit. *(Il veut reprendre la main de Jean.)* Elle durcit aussi.
Jean	*(retirant*[a] *de nouveau sa main.)* Ne me tâtez pas comme ça. Qu'est-ce qu'il vous prend? Vous m'ennuyez.
Bérenger	*(pour lui.)* C'est peut-être plus grave que je ne[2] croyais. *(A Jean.)* Il faut appeler le médecin.

Eugène Ionesco, *Rhinocéros* (acte II), Gallimard.

---

1. Qu'avez-vous pour que vous m'examiniez. — 2. = Plus grave que je croyais (moins correct).
a. Grammaire 13. — b. Grammaire 9. — c. Grammaire 22. — d. Grammaire 14.

La Cour d'Assises

A sept heures et demie du matin, on est venu me chercher et la voiture cellulaire[1] m'a conduit au palais de justice. Les deux gendarmes m'ont fait entrer[a] dans une petite pièce qui sentait l'ombre. Nous avons attendu, assis près d'une porte derrière laquelle[b] on entendait des voix, des appels, des bruits de chaises et tout un remue-ménage qui m'a fait penser à ces fêtes de quartier où, après le concert, on range la salle pour pouvoir danser. Les gendarmes m'ont dit qu'il fallait attendre la cour et l'un d'eux m'a offert une cigarette que j'ai refusée[c]. Il m'a demandé peu après « si[d] j'avais le trac[2]. » J'ai répondu que non. Et même, dans un sens, cela m'intéressait de voir un procès. Je n'en avais jamais eu l'occasion dans ma vie : « Oui, a dit le second gendarme, mais cela finit par fatiguer. » Après un peu de temps, une petite sonnerie a résonné dans la pièce. Ils m'ont alors ôté les menottes. Ils ont ouvert la porte et m'ont fait entrer[a] dans le box des accusés...

Mon avocat est arrivé, en robe, entouré de[3] beaucoup d'autres confrères. Il est allé vers les journalistes, a serré les mains. Ils ont plaisanté, ri et avaient l'air tout à fait à leur aise, jusqu'au moment où la sonnerie a retenti dans le prétoire[4]. Tout le monde a regagné sa place. Mon avocat est venu vers moi, m'a serré la main et m'a conseillé de répondre brièvement aux questions qu'on me poserait[5], de ne pas prendre d'initiative[6] et de me reposer sur lui pour le reste...

Trois juges, deux en noir, le troisième en rouge, sont entrés avec des dossiers et ont marché très vite vers la tribune qui dominait la salle. L'homme en robe rouge s'est assis sur le fauteuil du milieu, a posé sa toque[7] devant lui, essuyé son petit crâne chauve avec un mouchoir et déclaré que l'audience était ouverte...

Albert Camus, *L'Étranger*, Gallimard.

1. Voiture divisée en cellules pour le transport des prisonniers. — 2. Familier pour : si j'avais de l'appréhension, de la peur. — 3. = entouré par. — 4. La salle du tribunal. — 5. = qu'on me posera (le verbe principal est au passé). — 6. De ne rien faire par moi-même. — 7. Coiffure de magistrat.
a. Grammaire 24. — b. Grammaire 10. — c. Grammaire 18. — d. Grammaire 21.

Aimez-vous Brahms?

En se réveillant[a] le dimanche, elle découvrit[1] un message sous sa porte...
« Il y a un très beau concert à 6 heures, salle Pleyel, écrivait Simon.
Aimez-vous Brahms? Je m'excuse pour hier. » Elle sourit. Elle sourit
à cause de la seconde phrase : « Aimez-vous Brahms? » C'était le genre
de questions que les garçons lui posaient lorsqu'elle avait 17 ans. Et sans
doute les lui avait-on reposées[b] plus tard, mais sans écouter[c] la réponse.
Dans ce milieu, et à cette période de la vie, qui écoutait qui[d]? Et d'ailleurs
aimait-elle Brahms?...
A six heures, salle Pleyel, elle se trouva prise dans un remous de foule,
faillit[2] manquer Simon qui lui tendit son billet sans rien dire[c], et ils mon-
tèrent[d] les marches précipitamment (...). La salle était immense et sombre,
l'orchestre faisait entendre[e] en préambule quelques sons spécialement
discordants (...). Elle se tourna[f] vers son voisin.
« Je ne savais pas si[g] j'aimais Brahms.
— Moi, je ne savais pas si vous viendriez, dit Simon. Je vous assure que
ça m'est bien égal[3] que vous aimiez Brahms ou pas.
— Comment était la campagne? »
Il lui jeta un regard étonné.
« J'ai téléphoné chez vous, dit Paule, pour vous dire[h] que... que j'acceptais.
— J'avais si peur que vous téléphoniez le contraire, ou pas du tout, que
je suis parti[4], dit Simon.
— La campagne était belle? De quel côté[5] avez-vous été[6]?...
— J'ai été par-ci, par-là, dit Simon; je n'ai pas regardé les noms. D'ail-
leurs on commence[7]. »
On applaudissait, le chef d'orchestre saluait, il levait sa baguette et ils
se laissaient glisser sur leur fauteuil[8] en même temps que deux mille per-
sonnes.

Françoise Sagan, *Aimez-vous Brahms?* Julliard.

1. Passé simple de *découvrir* (Grammaire 13). — 2. Passé simple de *faillir*. Elle faillit
manquer = elle manqua presque, elle fut sur le point de manquer. — 3. = indifférent.
— 4. = J'avais très peur que vous téléphoniez le contraire; *alors,* je suis parti. — 5.
= dans quelle direction? — 6. = êtes-vous allé (familier). — 7. On commence le concert.
— 8. Pour entendre confortablement.
a. Grammaire 13. — b. Grammaire 18. — c. Grammaire 22. — d. Grammaire 21. — e. Gram-
maire 24. — f. Grammaire 13. — g. Grammaire 21. — h. Grammaire 3.

L'art d'être grand-père

C'était un homme du XIXe siècle qui se prenait, comme tant d'autres, comme Victor Hugo lui-même, pour Victor Hugo. Je tiens ce bel homme à barbe de fleuve pour la victime[1] de deux techniques récemment découvertes : l'art du photographe et l'art d'être grand-père. Il avait la chance et le malheur d'être photogénique[2]; ses photos remplissaient la maison : comme on ne pratiquait pas l'instantané, il y avait gagné le goût des poses[3] et des tableaux vivants (...), il raffolait de[4] ces courts instants d'éternité où il devenait sa propre statue. Je n'ai gardé de lui — en raison de son goût pour les tableaux vivants — que des images raides de lanterne magique[5] : un sous-bois, je suis assis sur un tronc d'arbre, j'ai cinq ans; Charles Schweitzer porte un panama, un costume de flanelle crème à rayures noires, un gilet de piqué[6] blanc, barré par[a] une chaîne de montre; son pince-nez[7] pend au bout d'un cordon; il s'incline sur moi, lève un doigt bagué d'or, parle. Tout est sombre, tout est humide, sauf sa barbe solaire[8] : il porte son auréole autour du menton.

Jean-Paul Sartre, *Les Mots,* Gallimard.

---

1. Je le considère comme la victime... — 2. Si beau qu'il méritait d'être photographié. — 3. Le goût de poser devant l'appareil photo. — 4. Il adorait. — 5. Ainsi appelait-on les premiers appareils de projection. — 6. Sorte d'étoffe de coton. — 7. On disait aussi un *lorgnon.* — 8. Qui rayonnait comme un soleil.
a. Grammaire 10.

Pour la lecture

Ormes[1]

Dans les champs
Calmes parasols[2]
Sveltes[3], dans une tranquille élégance
Les ormes calmes font de l'ombre
Pour les vaches et les chevaux
Qui les entourent à midi.
Ils ne parlent pas.
Je ne les ai pas entendus chanter[a].
Ils sont simples
Ils font de l'ombre légère
Bonnement[4]
Pour les bêtes

> Saint-Denys-Garneau (poète canadien).
> *Poésies complètes*, Fides.

1. Grands arbres minces. — 2. Ils sont pareils à des parasols fermés. — 3. Élancés et élégants. — 4. Avec simplicité, avec bonté.
a. Grammaire 9 et 18.

Saules[1]

La tête penchée
Le vent peigne leurs chevelures longues
Les saules au bord de l'onde[2]
Les agite au-dessus de l'eau
Pendant qu'ils songent
Et se plaisent[3] indéfiniment
Aux jeux du soleil dans leur feuillage froid
Ou quand la nuit emmêle ses ruissellements[4].

> Saint-Denys-Garneau, *Poésies complètes*, Fides.

1. Arbres au feuillages souvent pendant, qui se trouvent en général au bord des rivières. — 2. Mot poétique pour : l'eau. — 3. Se plaire à quelque chose : l'aimer et s'y attarder. — 4. La lumière des astres qui ruisselle, coule comme l'eau des ruisseaux.

Pour ou contre la télévision

« Ce n'est pas un divertissement pour arriérés[1], dit Catherine sur un ton de révolte. Il y a d'[a] excellents programmes. Les magazines d'actualité, par exemple. La télé est un instrument de culture.» André leva[b] les yeux au ciel.

« Voilà[c] le grand mot lâché! La culture! Alors, bien sûr, si la télé est un instrument de culture, je n'ai plus qu'à[d] m'incliner. Toi aussi, Catherine, tu donnes dans ce panneau? Si vous voulez vous cultiver, il y a des livres, ici. Relisez les classiques, ou lisez-les[e], plutôt. Il y a des albums d'art. Il y a des disques. Il y a le *Larousse* et même l'*Encyclopædia Britannica*.

— La culture du XX[e] siècle ne s'acquiert[2f] pas seulement dans les livres, dit Catherine. Elle est aussi bien audio-visuelle.

— Bravo pour le charabia[3]! Il prouve pour la qualité de cette culture.

— Ne commencez pas à[g] vous chamailler[4], je vous en prie, dit Claire.

— Que voulez-vous[5], elles me font souffrir! L'une veut la télé parce que[h] tout le monde l'a, donc pour faire comme tout le monde; et l'autre parce que c'est, paraît-il, une source de culture. On croit entendre des perroquets.

— Et vous, vous parlez comme un réactionnaire[6], dit Catherine.

— Pas d'insolence, s'il te plaît.

— Vous dites que la télé est bonne pour les arriérés. C'est typiquement[7] une opinion de snob et de réact...

— Vas-tu te taire? dit André, la voix blanche. Et puis, quitte la table, je te prie. Monte dans ta chambre. »

La jeune fille lui jeta un regard furieux, se leva[b] et sortit[j]. On entendit[k] son pas rapide dans l'escalier, une porte refermée violemment à l'étage. Claire hocha la tête.

« Vous n'auriez pas dû[l] dit-elle. Elle a dix-huit ans. On ne peut plus les traiter ainsi aujourd'hui. »

Jean-Louis Curtis, *La Quarantaine,* Julliard.

1. Personnes dont l'intelligence n'est pas assez développée. — 2. Acquérir : acheter ou simplement, comme ici, se procurer, trouver. — 3. Langage inintelligible. — 4. Se disputer, en parlant d'enfants, surtout. — 5. Ne vous en étonnez pas. — 6. Celui qui, en politique, a des opinions « rétrogrades », est situé à droite. — 7. Exactement, par excellence.
a. Grammaire 5. — b. Grammaire 13. — c. Grammaire 13. — d. Grammaire 19. — e. Grammaire 7. — f. Grammaire 23. — g. Grammaire 8. — h. Grammaire 3. — i. Grammaire 3. — j. Grammaire 22. — k. Grammaire 24. — l. Grammaire 9.

Pour la lecture

La lettre

Elle ne pleure pas ma lettre
Elle ne parle que tout bas
Mais si tu m'écrivais[a] peut-être
Que je ne te l'écrirais[a] pas

Je suis tout au bout de la peine
Là où commence le trépas
Le Soleil brille sur la Seine
Je ne l'aperçois même pas

Dans le matin j'entends la cloche
Dont[b] les échos sèment le glas[1]
Je recherche en vain dans mes poches
Un coin où tu ne serais pas

Je regarde passer[c] les arbres
De Paris qui me tend les bras
Que me font ces tours et ces marbres
Puisque où[d] je suis toi tu n'es pas[2]

Il faudrait que je m'habitue
A ce que tu ne sois pas là
Mais c'est bien là ce qui me tue
Je ne m'y habituerai pas

Mais je te l'ai dit « Pas de larmes »
Si mon cœur saigne à chaque pas
Ce n'est pas la faute des armes
C'est parce que tu n'écris pas.

Maurice Bruézière.

---

1. Le glas est le tintement de la cloche annonçant un deuil; ici les échos répètent ce tintement, comme s'ils le semaient dans l'air. — 2. Tu n'es pas là où je suis.
a. Grammaire 8. — b. Grammaire 11. — c. Grammaire 9. — d. Grammaire 15.

Nous deux

Nous deux nous tenant[a] par la main
Nous nous croyons partout chez nous
Sous l'arbre doux sous le ciel noir
Seuls sous les toits au coin du feu
Dans la rue vide en plein soleil
Dans les yeux vagues de la foule[1]
Auprès des sages et des fous
Parmi les enfants et les grands
L'amour n'a rien de mystérieux
Nous sommes l'évidence[2] même[b]
Les amoureux se croient chez nous[3].

Paul Éluard, *Le Phénix*, Seghers.

1. La foule va vers son but, sans voir autour d'elle. — 2. Il suffit de nous voir pour comprendre que nous nous aimons. — 3. Dans notre maison, la maison de l'amour.
a. Grammaire 13. — b. = elle-même. V. Grammaire 11.

Pour la lecture

A Athènes

Nous avions loué une voiture; nous visitions les environs et chaque jour avant le coucher du soleil nous montions sur l'Acropole, la Pnyx ou le Lycabette[1]. Papa refusait d'aller dans la ville moderne : « Il n'y a rien à voir[a] », me disait-il. Le soir il m'emmenait sur le conseil d'un vieil ami, dans un petit bistrot « typique[2] » : une grotte, au bord de la mer, décorée avec des filets de pêche, des coquillages, des lampes-tempête. « C'est plus amusant que les grands restaurants que chérit ta mère. » Pour moi, c'était un piège à touristes comme un autre. Au lieu d'élégance et de confort, on y vendait de la couleur locale[3] et un discret sentiment de supériorité sur les habitués moutonniers des palaces[4]. (Le thème publicitaire aurait été[b] : soyez *différent* ; ou : un endroit *différent*.) Papa échangeait quelques mots en grec avec le patron et — comme tous les clients, mais chacun se sentait privilégié — celui-ci nous faisait entrer dans la cuisine et soulevait le couvercle des marmites; ils[5] élaboraient soigneusement le menu.

Simone de Beauvoir, *Les Belles Images,* Gallimard.

1. Collines ou éminences qui s'élèvent dans Athènes. — 2. Tout à fait caractéristique. — Voir page 239, note 6. — 3. Du pittoresque, plus ou moins authentique. — 4. Ainsi les touristes se sentaient supérieurs aux clients des palaces qui se laissent conduire comme des moutons sans savoir apprécier la « couleur locale ». — 5. Sans doute : papa et le patron.
a. Grammaire 19. — b. Grammaire 9.

Le « petit tailleur sport »

Bien vaillamment, car elles étaient très résistantes, elles avaient depuis plusieurs jours couru[a] à la recherche à travers les boutiques d'« un petit tailleur sport », en gros tweed[1] à dessins, « un petit dessin comme ça, je le vois si bien, il est à petits carreaux gris et bleus... Ah! vous n'en avez pas? où pourrais-je en trouver? » et elles avaient recommencé leur course.

Le petit tailleur bleu ... le petit tailleur gris ... Peu à peu il les tenait plus fort, s'emparait d'elles impérieusement, devenait indispensable, devenait un but en soi, elles ne savaient plus pourquoi, mais qu'[2]à tout prix il leur fallait atteindre.

Elles allaient, elles trottaient, grimpaient courageusement (plus rien ne les arrêterait[3]) par des escaliers sombres, au quatrième ou au cinquième étage, « dans des maisons spécialisées, qui font du tweed anglais, où on est sûr de trouver cela » et, un peu agacées (elles commençaient à[b] se fatiguer, elles allaient[4] perdre courage), elles suppliaient : « Mais non, mais non, vous savez bien ce que[c] je veux dire, à petits carreaux comme ça, avec des raies en diagonale... mais non, ce n'est pas ça, ce n'est pas ça du tout... Ah! vous n'en avez pas? Mais où puis-je en trouver? J'ai regardé partout... Ah! peut-être encore là! Vous croyez? Bon, je vais y aller... Au revoir... Mais oui, je regrette beaucoup, oui, pour une autre fois... » et elles souriaient tout de même, aimablement, bien élevées, bien dressées depuis de longues années, quand elles avaient couru[a] encore avec leur mère, pour combiner[5], pour « se vêtir de rien », « car une jeune fille, déjà, a besoin de tant de choses, et il faut savoir s'arranger ».

Nathalie Sarraute, *Tropismes,* Éd. de Minuit.

---

1. Laine d'Écosse. — 2. = un but *que,* à tout prix... — 3. = ne les arrêtera (le récit est au passé). — 4. Correspond à : elles *vont* perdre courage, dans un récit au présent. — 5. Trouver un moyen facile (de s'habiller).
a. Grammaire 12. — b. Grammaire 8. — c. Grammaire 21.

Pour la lecture

De la Terre à la Lune

Les membres du Gun-Club, de Baltimore U. S. A., ont fabriqué un énorme canon de 30 mètres de long, « La Columbiad », qui lancera un obus, wagon-projectile de 3 mètres de large et de 4 mètres de haut. Il va emporter vers la lune trois passagers, trois cosmonautes. Le voyage doit durer quatre jours. Le départ du wagon-projectile a lieu le 1ᵉʳ décembre 186..., de Stone's Hill, en Floride. Jusqu'au 12 décembre, pas de nouvelles de l'engin spatial. Le 12, le directeur de l'Observatoire de Cambridge (Massachusetts) publie la note suivante :

« Le projectile lancé par la Columbiad de Stone's Hill a été aperçu par MM. Belfast et J. T. Maston, le 12 décembre, à 8 heures 47 minutes du soir (...). « Le projectile n'est pas arrivé à son but. Il a passé à côté, mais assez près, cependant, pour être retenu[1] par l'attraction lunaire.

« Là, son mouvement rectiligne s'est changé en un mouvement circulaire d'une rapidité vertigineuse et il a été entraîné suivant une orbite elliptique[2] autour de la lune, dont il est devenu un véritable satellite.

« Les éléments[3] de ce nouvel astre n'ont pas encore pu être déterminés (...). La distance qui le sépare de la surface de la lune peut être évaluée à 2 833 milles (4 500 km).

« Maintenant, deux hypothèses peuvent se produire et amener une modification dans l'état des choses.

« Ou l'attraction de la lune finira par l'emporter[4] et les voyageurs atteindront le but de leur voyage; ou, maintenu dans un ordre immutable[5], le projectile gravitera autour du disque lunaire[6] jusqu'à la fin des siècles.

« C'est ce que les observateurs apprendront un jour, mais jusqu'ici la tentative du Gun-Club n'a eu d'autres résultats que de doter d'un nouvel astre notre système solaire. »

C'est sur cette impression tragique que s'achevait le livre de Jules Verne en 1865. Mais, pris sans doute de pitié, le romancier allait, en 1870, dans « Autour de la lune », trouver un dénouement plus rassurant : le projectile, dévié dans sa trajectoire, revient sur la terre et les cosmonautes amerrissent sains et saufs dans le Pacifique, tout comme le feront, au xxᵉ siècle, les passagers d'Apollo.

Jules Verne, *De la Terre à la Lune*, Hachette.

1. Il a passé assez près et il a été retenu... — 2. De forme ovale. — 3. Ou les caractères. — 4. Sera enfin la plus forte. — 5. Dans des conditions qui ne peuvent changer (on dit aujourd'hui plutôt immuable). — 6. Le disque est, en fait, une sphère.

Index

Seuls figurent ici les mots nouvellement introduits dans le tome II, dialogues et variétés. Le genre des noms est indiqué par m. (masculin, un), ou f. (féminin, une).

Index

Index

Index

Table

Pour la lecture

Table

(handwritten notes at top: "Prévert / Jeudi = Rousseau / Courbevoie" and "les engelures" and "P 230 / P 370")

RÉFÉRENCES PHOTOGRAPHIQUES

Pages

8 1 Galliphot-Libor Sir — 2 Holmès-Lebel-Libor Sir — 3 Holmès-Lebel-Kovaleff — 4 Perrin.
9 5 Rapho-Ciccione — 6 Rapho-Randic — 7 Rapho-Ciccione — 8 Rapho-Doisneau.
16 1 Holmès-Lebel — 2 Galliphot-Rague — 3 Rapho-De Sazo — 4 Rapho-Belzeaux.
24 1 Rapho-Maltête — 2 Galliphot-Challet — 3 Rapho-Ciccione — 4 Rapho-Ciccione.
25 5 Soc. Klippan — 6 Gendarm. nat. — 7 Rapho-Pougnet — 8 Rapho-Ciccione.
32 1 Dagieu — 2 Sacha Masour — 3 Keystone — 4 Fotogram-Corson.
40 1 Magnum-Cartier-Bresson — 2 Camera Press-Holmès-Lebel — 3 Rapho-Niepce — 4 Holmès-Lebel-Orthlieb.
48 1 Rapho-De Sazo — 2 Galliphot-Challet — 3 Keystone — 4 Atlas Photo-Perrin.
49 5 Galliphot-Althoffer — 6 Galliphot-Fauchon — 7 Galliphot-Rague.
56 1 SAS Parimage — 2 Holmès-Lebel-Lozouet — 3 Rapho-Ciccione — 4 Holmès-Lebel.
64 1 Holmès-Lebel-Molinier — 2 Magnum-Cartier-Bresson — 3 Rapho-Silvester — 4 Rapho-Doisneau.
72 1 Atlas Photo-Perrin — 2 Malard — 3 Rapho-Niepce — 4 Perrine-Parimage.
80 1 Galliphot-Thiallier — 2 Galliphot-Fauchon — 3 Galliphot-Sala — 4 Rapho-Fournier.
81 5 Galliphot-Thiallier — 6 Magnum-Cartier-Bresson — 7 Galliphot-Rague — 8 Galliphot-Krienke.
88 1 Magnum-Barbey — 2 Magnum-Riboud — 3 Magnum-Rodger — 4, 5 Jacana-Chevalier.
96 1 Jahan — 2, 3, 4 Hachette.
104 1 Jacana — 2, 3 SNO.
112 1, 2, 3, 4, 6, 7, 8 USIS — 5 IPS.
120 1 Atlas photo-Doumic — 2, 3 Rapho-Schneiders — 4 Galliphot-Regard.
128 1 Holmès-Lebel-Lozouet — 2 Rapho-Pougnet — 3 Holmès-Lebel — 4 Holmès-Lebel-Boillon.
129 5 Holmès-Lebel — 6 Holmès-Lebel-Don Ornitz — 7 Loïc Jahan.
136 1 Rapho-Pavlovsky — 2 Rapho-Viollon — 3 Rapho-Serraillier — 4 Rapho-von Matt.
144 1 Renaudeau.
152 1 Roger-Viollet — 2 Magnum-Harbutt — 3 Magnum-Freed — 4 Magnum-Hartmann.
160 1 Gamma-Taieb — 2, 3, 4 Gamma-Noguès.
161 5 Gamma-Depardon — 6 Gamma-Caron — 7 Rapho-Laouenan.
168 1, 2 Gamma-Bonnotte — 3 Cinémath. franç. — 4 Cauchetier.
176 1 Cinémath. franç. — 2 Extr. de *Bonnie and Clyde* — 3 Extr. de *Mort d'un tueur* — 4 Galliphot-Challet.
184 1, 2 Gamma-Simonpiétri — 3 Gamma-Rodriguez — 4 Rosenthal.
185 5, 6, 7 DPPI.
192 1 SAS Parimage — 2 Rapho-Simonet — 3, 4 Keystone.
200 1 1,7 Rapho-Gerster — 2 Rapho-Hubert — 3 Galliphot-Colos Photo — 4 Galliphot-Thiallier — 5 Rapho-Chauffard — 6 Rapho-Ublifoto — 8 Gamma-Treps.
208 1, 4 Rapho-Niepce — 2 Viollet-Geanty — 3 Keystone-OMS.

Imprimé en France par BRODARD GRAPHIQUE — Coulommiers-Paris HA/3715/2.
Dépôt légal n° 4742-5-1982 — Collection n° 18 — Édition n° 14.

Ⓗ 15/3997/2